ISBN-13: 978-1511409544
ISBN-10: 1511409541
Édité par www.jey-bee.com

Tartuffe

Tartuffe ou l'Imposteur (1664)
Texte établi par Charles Louandre, Charpentier, 1910.

Molière
Jean-Baptiste Poquelin

TABLE DES MATIERES

Brisart d.

J. Sauvé f.

L'Imposteur

NOTICE

ARTUFFE, depuis le XVIIe siècle, est entré dans la nomenclature officielle des Dictionnaires, parce qu'il est passé couramment dans la langue commune; c'est l'hypocrite, celui de toutes les hypocrisies.

L'histoire des premières représentations de *Tartuffe* est devenue, sous la plume de la plupart des commentateurs ou des biographes, une véritable légende, et le thème de déclamations contre *le fanatisme, l'intolérance, les faux dévots et les jésuites.* Nous ne nous replacerons pas sur ce terrain, et nous laisserons à M. Sainte-Beuve le soin de raconter, en historien et en critique, les difficultés que la nouvelle pièce éprouva avant d'arriver jusqu'au public :

« Dès 1664, Molière avait achevé sa comédie du *Tartuffe* à peu près telle que nous l'avons. Trois actes en avaient été représentés aux fêtes de Versailles de cette année, et ensuite à Villers-Cotterets chez Monsieur : le prince de Condé, protecteur de toute hardiesse d'esprit, s'était fait jouer au Raincy la pièce tout entière. Mais les mêmes hommes qui avaient obtenu qu'on brûlât *les Provinciales* quatre ans auparavant, empêchèrent la représentation devant le public, et la suspension avec divers incidents se prolongea. Louis XIV, en ce premier feu de ses maîtresses, était loin d'être dévot ; mais il avait dès lors cette disposition à vouloir qu'on le fût, qui devint le trait marquant dans sa vieillesse. Tout en songeant à revoir et à corriger sa pièce pour la rendre représentable, Molière, dont le théâtre ni le génie ne pouvaient chômer, produisait d'autres œuvres, et, dans le *Festin de Pierre*, qui se joua en 1665, il se vengea de la cabale qui arrêtait *le Tartuffe*, par la tirade de don Juan au cinquième acte ; l'athée aux abois y confesse à Sganarelle son dessein de contrefaire le dévot : « Il n'y a plus de honte maintenant à cela : l'hypocrisie est un vice à la mode, et tous les vices à la mode passent pour vertus. Le personnage d'homme de bien est le meilleur de tous les personnages qu'on puisse jouer. Aujourd'hui la profession d'hypocrite a de merveilleux avantages... » Mais d'autres traits audacieux du *Festin*, joints à cette attaque, soulevèrent de nouveau et semblèrent justifier la fureur de la cabale menacée ; il y eut des pamphlets violents publiés contre Molière. Il avait affaire à ses Pères Meyniers et Brisaciers, qui ne manquent jamais. »

« Pourtant le crédit du divertissant poète montait chaque jour ; sa gloire sérieuse s'étendait : il avait fait le Misanthrope. La mort de la reine-mère (1666) avait ôté à la faction dévote un grand point d'appui en cour. Comptant sur la faveur de Louis XIV, se faisant fort d'une espèce d'autorisation verbale qu'il avait obtenue, et pendant que le roi était au camp devant Lille, en août 1667, au milieu de cet été désert de Paris, Molière risqua sa pièce devant le public ; il en avait changé le titre : elle s'appelait l'Imposteur, et M. Tartuffe était devenu M. Panulphe ; il y avait des passages supprimés. L'Imposteur, sous cette forme, ne put avoir, malgré tout, qu'une représentation ; le premier président Lamoignon crut devoir empêcher la seconde jusqu'à nouvel ordre du roi. Molière députa deux de ses camarades au camp de Lille avec un placet qu'on a. Mais le roi maintint la suspension. » Tels sont, réduits à la simple vérité historique et dégagés de tous les détails minutieux qui ne font que les obscurcir, les faits qui se rapportent à la première apparition du Tartuffe ; et comme nous devons, avant tout, dans un sujet où il est difficile d'être neuf, nous attacher à éclaircir ou à rectifier, nous rectifierons en passant un fait qui se rattache à l'unique représentation de 1667. Voici ce que dit à ce sujet M. Génin, à l'opinion duquel nous souscrivons complètement :

« Qui ne connaît l'anecdote de Molière notifiant au public la défense qu'il venait de recevoir de représenter *Tartuffe ? M. le premier président ne veut pas qu'on le joue.* Le fait est aussi faux qu'il est accrédité. Sous un roi comme Louis XIV, une plaisanterie si déplacée, un si grossier outrage lancé publiquement par un comédien contre un magistrat, contre l'illustre Lamoignon, ne fût certainement pas resté impuni : Molière, aimé de Louis XIV, était d'ailleurs l'homme de France le plus incapable de blesser à ce point les convenances, sans parler des égards qu'il devait à Boileau, honoré de l'intimité de M. de Lamoignon. Ce conte, beaucoup plus vieux que Molière a été ramassé dans les *Anas* espagnols, qui attribuent ce mot à Lope ou à Calderon, au sujet d'une comédie de l'Alcade : *L'alcade ne veut pas qu'on le joue.* Quelqu'un a trouvé spirituel

4

de transporter cette facétie à Molière, et l'invention a fait fortune. La biographie des grands hommes est remplie de ces impertinences : c'est le devoir de la critique de les signaler, et d'en obtenir justice. »

Molière, malgré ses vives instances auprès du roi, attendit deux ans avant de voir lever l'interdiction qui pesait sur sa pièce. Enfin, *Tartuffe reparut au théâtre le 5 février 1669. Nombre de gens*, dit Robinet, *coururent hasard d'être étouffes et disloqués pour voir cet ouvrage* ; quarante-quatre représentations consécutive assurèrent le triomphe, et les camarades de l'auteur voulurent que sa vie durant il eût double part dans les recettes produites par ce chef d'œuvre.

Considéré comme œuvre littéraire, le Tartuffe n'a trouvé que des admirateurs. « Il est, dit M. Nisard, plus goûté au théâtre que *le Misanthrope*, sans l'être moins à la lecture. Il y a plus d'intérêt, plus d'action, plus de passion. Au lieu du salon d'une coquette, c'est le foyer domestique d'une femme honnête, envahi par un intrus. Tout y est troublé, les amusements innocents, l'honnête liberté des discours, les plaisirs et les projets de famille, un mariage sortable et déjà fort avancé ; personne n'y est incommodé médiocrement. Aussi quelle agitation dans cette maison, désormais divisée en deux camps !... C'est la pièce où Molière a mis le plus de feu... il y a d'autres vilaines gens dans son théâtre... il se contente de les rendre ridicules... Pour le faux dévot, on n'en rit pas un moment ; Molière en a peur ; il en a horreur du moins. C'est la révolte de sa noble nature contre ce vice, le plus odieux de tous, parce qu'il sert de couverture à tous. »

M. Génin regarde *Tartuffe* comme le dernier effort du génie : « Quelle admirable combinaison de caractères ! Deux morale sont mises en présence : la vraie piété se personnifie dans Cléante, l'hypocrisie dans Tartuffe. Cléante est la ligne inflexible tendue à travers la pièce pour séparer le bien du mal, le faux du vrai. Orgon, c'est la multitude de bonne foi, faible et crédule, livrée au premier charlatan venu, extrême et emportée dans ses résolutions comme dans ses préjugés. Le fond du drame repose sur ces trois personnages. À côté d'eux paraissent les aimables figures de Marianne et de Valère ; la piquante et malicieuse Dorine, chargée de représenter le bon sens du peuple, comme madame Pernelle en représente l'entêtement ; Damis, l'ardeur juvénile qui, s'élançant vers le bien et la justice avec une impétuosité aveugle, se brise contre l'impassibilité calculée de l'imposteur, Elmire enfin, toute charmante de décence, quoiqu'elle aille *vêtue ainsi qu'une princesse*. Quelle habileté dans cette demi-teinte du caractère d'Elmire, de la jeune femme unie à un vieillard ! Si Molière l'eût faite passionnée, tout le reste devenait à l'instant impossible ou invraisemblable : la résistance d'Elmire perdait de son mérite ; Elmire était obligée de s'offenser, de se récrier, de se plaindre à Orgon. Point :

Une femme se rit de sottises pareilles,
Et jamais d'un mari n'en trouble les oreilles.

Elle n'éprouve pour Tartuffe pas plus de haine que de sympathie ; elle le méprise, c'est tout. Ce sang-froid était indispensable pour arriver à démasquer l'imposteur. Elmire nous prouve quels sont les avantages d'une honnête femme qui demeure insensible sur la passion du plus rusé des hommes, de Tartuffe. »

Considéré au point de vue de la morale sociale ou religieuse. Tartuffe a été l'objet de vives et nombreuses attaques. Nous allons, au moyen de quelques extraits, donner une idée aussi exacte que possible des critiques dont il a été l'objet, depuis le dix-septième siècle jusqu'à nos jours.

Ce fut le curé de Saint-Barthélémy, Roullès, qui ouvrit le feu par un écrit anonyme : *le Roi glorieux au monde*. Roullès, dans cet écrit, appelle Molière « un démon vêtu de chair, habillé en homme ; un libertin, un impie digne d'être brûlé publiquement. » L'auteur d'un libelle intitulé : Observations sur une comédie de Molière intitulée : le *Festin de Pierre*, enchérit encore sur le curé de Saint-Barthélémy :

« Certes, il faut avouer que Molière est lui-même un Tartuffe achevé et un véritable hypocrite... Si le dessein de la comédie est de corriger les hommes en les divertissant, le dessein de Molière est de les perdre en les faisant rire, de même que ces serpents dont les piqûres mortelles répandent une fausse joie sur le visage de ceux qui en sont atteints...

» Molière, après avoir répandu dans les âmes ces poisons funestes qui étouffent la pudeur et la honte ; après avoir pris soin de former des coquettes et de donner aux filles des instructions dangereuses, après des écoles fameuses d'impureté, en a tenu d'autres pour le libertinage... ; et, voyant qu'il choquait toute la religion et que tous les gens de bien lui seraient contraires, il a composé son *Tartuffe* et a voulu rendre les dévots des ridicules ou des hypocrites... Certes, c'est bien affaire à Molière de parler de la religion, avec laquelle il a si peu de commerce et qu'il n'a jamais connue, ni par pratique ni par théorie...

« Son avarice ne contribue pas peu à échauffer sa verve

contre la religion... Il sait que les choses défendues irritent le désir, et il sacrifie hautement à ses intérêts tous les devoirs de la piété ; c'est ce qui lui fait porter avec audace la main au sanctuaire, et il n'est point honteux de lasser tous les jours la patience d'une grande reine, qui est continuellement en peine de faire réformer ou supprimer ses ouvrages...

« Auguste fit mourir un bouffon qui avait fait raillerie de Jupiter, et défendit aux femmes d'assister à ses comédies, plus modestes que celles de Molière. Théodose condamna aux bêtes des farceurs qui tournaient eu dérision les cérémonies ; et néanmoins cela n'approche point de l'emportement qui paraît en cette pièce...

« Enfin, je ne crois pas faire un jugement téméraire d'avancer qu'il n'y a point d'homme si peu éclairé des lumières de la foi qui, ayant vu cette pièce ou sachant ce qu'elle contient, puisse soutenir que Molière, *dans le dessein de la jouer*, soit capable de la participation des sacrements, qu'il puisse être reçu à pénitence sans une réparation publique, ni même qu'il soit digne de l'entrée des églises après les anathèmes que les conciles ont fulminés (outre les auteurs de spectacles impudiques ou sacrilèges, que les Pères appellent les naufrages de l'innocence et des attentats contre la souveraineté de Dieu. »

L'archevêque de Paris, Harlay de Champvallon, que Fénélon dans une lettre à Louis XIV appelle « un archevêque corrompu, scandaleux, incorrigible, faux, malin, artificieux, ennemi de toute vertu, » publia, sous la date du 11 août 1667, le mandement suivant :

« ...Sur ce qui nous a été remontré par notre promoteur, que le vendredi cinquième de ce mois, on a représenté sur l'un des théâtres de cette ville, sous le nouveau nom de l'Imposteur, une comédie très dangereuse, et qui est d'autant plus capable de nuire à la religion que, sous prétexte de condamner l'hypocrisie ou la fausse dévotion, elle donne lieu d'en accuser indifféremment tous ceux qui font profession de la plus solide piété, et les expose par ce moyen aux railleries et aux calomnies continuelles des libertins ; de sorte que, pour arrêter le cours d'un « grand mal, qui pourrait séduire les âmes faibles et les détourner du chemin de la vertu, notre dit promoteur nous aurait requis de faire défense à toute personne de notre diocèse de représenter, sous quelque nom que ce soit, la susdite comédie, de la lire ou entendre réciter, soit en public, soit en particulier, sous peine d'excommunication ;

« Nous, sachant combien il serait en effet dangereux de

souffrir que la véritable piété fût blessée par une représentation si scandaleuse et que le roi même avait ci-devant très expressément défendue ; et considérant d'ailleurs que, dans un temps où ce grand monarque expose si librement sa vie pour le bien de son État, et où notre principal soin est d'exhorter tous les gens de bien de notre diocèse à faire des prières continuelles pour la conservation de sa personne sacrée et pour le succès de ses armes, il y aurait de l'impiété de s'occuper à des spectacles capables d'attirer la colère du ciel ; avons fait et faisons très expresses inhibitions et défenses à toutes personnes de notre diocèse de représenter, lire ou entendre réciter la susdite comédie, soit publiquement, soit en particulier, sous quelque nom et quelques prétexte que ce soit, et ce sous peine d'excommunication.

» Si mandons aux archiprêtres de Sainte-Marle-Magdelaine et de Saint-Severin de vous signifier la présente ordonnance, que vous publierez en vos prônes aussitôt que vous l'aurez reçue, en faisant connaître à tous vos paroissiens combien il importe à leur salut de ne point assister à la représentation ou lecture de la susdite ou semblables comédies. Donné à Paris sous le sceau de nos armes, ce onzième août mil six cent soixante-sept. »

Deux ans après la publication de ce mandement, Bourdaloue, dans *le Sermon sur l'hypocrisie*, lançait contre *Tartuffe* de nouveaux anathèmes, et sans nommer la pièce, il la désignait en termes tellement précis, qu'il était impossible de se méprendre :

« Et voilà, chrétiens, dit Bourdaloue, ce qui est arrivé lorsque des esprits profanes, et bien éloignés de vouloir entrer dans les intérêts de Dieu, ont entrepris de censurer l'hypocrisie… Voilà ce qu'ils ont prétendu, exposant sur le théâtre et à la risée publique un hypocrite imaginaire, ou même, si vous voulez, un hypocrite réel, et tournant dans sa personne les choses les plus saintes en ridicule, la crainte des jugements de Dieu, l'horreur du péché, les pratiques les plus louables en elles-mêmes et les plut chrétiennes. Voilà ce qu'ils ont affecté, mettant dans la bouche de cet hypocrite des maximes de religion faiblement soutenues, en même temps qu'ils les supposaient fortement attaquées ; lui faisant blâmer les scandales du siècle d'une manière extravagante ; le représentant consciencieux jusqu'à la délicatesse et au scrupule sur des points moins importants, où toutefois il le faut être, pendant qu'il se portait d'ailleurs aux crimes les plus énormes ; le montrant sous un visage de pénitent, qui ne servait qu'à couvrir ses infamies ; lui donnant, selon leur caprice, un caractère de piété la plus austère, ce semble, et la plus exemplaire, mais, dans le fond, la plus mercenaire et la plus lâche.

» Damnables inventions pour humilier les gens de bien, pour les rendre tous suspects, pour leur ôter la liberté de se déclarer en faveur de la vertu !... » Bossuet, dans sa *Lettre sur les spectacles*, est allé plus loin encore dans ce passage, où, suivant la remarque de M. Sainte-Beuve, l'idée de *Tartuffe* s'aperçoit à travers le pêle-mêle de l'anathème :

« Il faudra donc que nous passions pour honnêtes les impiétés et les infamies dont sont pleines les comédies de Molière, ou que vous ne rangiez pas parmi les pièces d'aujourd'hui celles d'un auteur qui vient à peine d'expirer, et qui remplit encore à présent tous les théâtres des équivoques les plus grossières dont on ait jamais infecté les oreilles des chrétiens. — Ne m'obligez pas à les répéter ; songez seulement si vous oserez soutenir à la face du ciel des pièces où la vertu et la piété sont toujours ridicules, la corruption toujours défendue et toujours plaisante, et la pudeur toujours offensée ou toujours en crainte d'être violée par les derniers attentats... »

« La postérité saura peut-être la fin de ce poète-comédien, qui en jouant son *Malade imaginaire*, recul la dernière atteinte de la maladie dont il mourut peu d'heures après, et passa des plaisanteries du théâtre, parmi lesquelles il rendit presque le dernier soupir, au tribunal de celui qui dit : *Malheur à vous qui riez, car vous pleurerez* ! » Bossuet, en traçant ces lignes, ignorait sans doute que Machiavel avait écrit *la Mandragore* pour le pape Jules II, et que le pape fut très-satisfait de Machiavel.

C'était peu cependant d'attaquer Molière comme un ennemi de la religion ; on le signala aussi comme un ennemi de l'autorité royale. Parmi ses adversaires, chacun le combattit sur son propre terrain et avec ses armes : les gens d'église du haut de la chaire ou dans des traités ascétiques, les gens de lettres dans des satires, des libelles ou des comédies, et l'on vit paraître, en 1670, sous le titre de la *Critique du Tartuffe*, une pièce en un acte et en vers, qui ne paraît pas du reste avoir été représentée, et dont l'auteur cherche à prouver qu'un factieux, hostile au roi, pouvait seul avoir conçu l'idée de *Tartuffe*.

On le voit par ce que nous venons de dire, si nous trouvons parmi les adversaires de Molière, à l'occasion de la pièce qu'on va lire, d'obscurs pamphlétaires qui n'osent pas se nommer, un archevêque à qui ses mœurs ne donnaient pas le droit d'être sévère, et des intrigants qui criaient au scandale parce qu'ils étaient blessés par le succès, nous trouvons aussi des hommes d'un grand esprit et d'une piété sincère ; et il est juste de reconnaître — nous ne discutons pas, nous constatons des faits — qu'il y eut parmi ceux qui condamnèrent *Tartuffe*, autre chose que de faux dévots et des jésuites, comme on le répète dans la plupart des livres modernes. « Ainsi, dit éloquemment M. Sainte-Beuve, une grande rumeur, un applaudissement grossi d'injures. De Maistre insultant à Pascal, Bossuet (chose plus grave !) insultant à Molière, voilà les pins glorieux succès humain dans l'ordre de l'esprit, voilà dans son plus beau et en l'écoutant de près, de quoi se compose une gloire. » Cet applaudissement mêlé de reproches a retenti jusque dans notre temps, et dans ce siècle même, deux hommes, dont les noms ont rarement l'occasion de se rencontrer dans l'histoire littéraire, le critique Geoffroy et l'empereur Napoléon, tout en admirant sans réserve Tartuffe comme œuvre d'art, en ont porté un jugement fort sévère.

« *Le Tartuffe*, suivant Geoffroy, est le chef-d'œuvre de la scène fornique, et l'un des plus parfaits ouvrages de littérature que jamais l'esprit humain ait conçus. Cette pièce réunit l'intrigue et l'intérêt avec la profondeur des caractères, la plus sublime maison avec le meilleur comique et la plus excellente plaisanterie, mais si nous envisageons du côté moral cette admirable production du génie, ajoute Geoffroy, elle a été plus nuisible qu'utile à la société… Les faux dévots se multiplièrent en dépit du *Tartuffe*. Il y a une si grande affinité avec la religion et l'abus qu'on en peut faire, que cette pièce a dû réjouir les impies plus qu'elle n'affligeait les hypocrites…

« Malgré l'espèce de protection accordée au *Tartuffe* par un roi jeune et victorieux qui aimait les spectacles, et qui ne sentait peut-être pas combien il est aisé de confondre avec l'abus la chose dont on abuse, Bourdaloue osa tonner dans la chaire contre le danger d'une pareille comédie ; et dans ses réflexions, sur *le Tartuffe*, l'orateur chrétien se montra, non pas dévot et fanatique, mais grand philosophe et homme d'état. »

Voici maintenant le jugement de Napoléon : « Après le dîner, dit l'auteur du *Mémorial de Sainte-Hélène*, l'empereur nous a lu *le Tartuffe* ; mais il n'a pu l'achever, il se sentait trop fatigué ; il a posé le livre, et après le juste tribut d'éloges donné à Molière, il a terminé d'une manière à laquelle nous ne nous attendions pas : « Certainement, a-t-il dit, l'ensemble du Tartuffe est de main de maître, c'est un des chefs-d'œuvre d'un homme inimitable ; toutefois cette pièce porte un tel caractère, que je ne suis nullement étonné que son apparition ait été l'objet de fortes négociations à Versailles, et de beaucoup d'hésitation dans Louis XIV. Si j'ai droit de m'étonner de quelque chose, c'est qu'il l'ait laissé jouer ; elle présente, à mon avis, la dévotion vous des couleurs si odieuses ; une certaine scène offre une situation si décisive, si complètement indécente, que, pour mon propre compte, je n'hésite pas à dire que si la pièce eût été faite de mon temps, je n'en aurais pas permis la représentation. »

La Lettre sur la comédie de l'Imposteur, publiée quinze jours après l'unique représentation du Tartuffe en 1667, et selon toute apparence écrite sous les yeux mêmes et d'après les inspirations de Molière, est le plaidoyer le plus habile et le plus intéressant qu'on ait opposé au réquisitoire des contemporains. Elle fut décisive auprès d'une foule de personnes, et autant les uns avaient été ardents à blâmer, autant les autres ont été ardents à défendre. Fénélon prit ouvertement le parti de Molière ; il justifia implicitement la donnée de *l'Imposteur*, en écrivant dans *Télémaque* « L'hypocrite est le plus dangereux des méchants, la fausse piété étant cause que les hommes n'osent plus se fier à la véritable. Les hypocrites souffrent dans les enfers des peines plus cruelles que les enfants qui ont égorgé leurs pères et leurs mères, que les épouses qui ont trempé leurs mains dans le sang de leurs époux, que les traîtres qui ont livré leur patrie, après avoir violé tous leurs serments. » Fénélon alla plus loin il n'hésita point à blâmer tout haut la sortie de Bourdaloue. « Bourdaloue, disait-il, n'est point Tartuffe, mais ses ennemis diront qu'il est jésuite. » Tandis que l'archevêque de Cambrai applaudissait Molière d'avoir démasqué l'un des vices les plus dangereux pour la vraie piété, un bel esprit qui se piquait aussi d'être un esprit fort. Saint—Évremond, voyait dans *Tartuffe* œuvre destinée à convertir les incrédules :

« Je viens de lire *le Tartuffe*, écrivait-il à un ami, c'est le chef-d'œuvre de Molière. Je ne sais pas comment on a pu en empêcher si longtemps la représentation. Si je me sauve, je lui devrai mon *salut*. La dévotion est si raisonnable dans la bouche de Cléante, qu'elle me fait renoncer à toute ma philosophie ; et les faux dévots sont si bien dépeints, que la honte de leur peinture les fera renoncer à l'hypocrisie. Sainte piété, que vous allez apporter de bien au monde ! »

À travers tant d'opinions divergentes, le public n'eut jamais qu'une seule et même opinion : il applaudit et il admira toujours. Au dix septième siècle, les molinistes étaient satisfaits de Molière, parce qu'ils voyaient dans sa pièce une attaque contre les jansénistes, et ces derniers adoucissaient leur rigorisme, parce qu'ils croyaient reconnaître un moliniste dans *Tartuffe*, ce qui n'empêchait pas le père Bouhours de composer pour l'auteur une très louangeuse épitaphe. Dans le siècle suivant, le *saint homme* fut adopté, choyé par les philosophes, et de notre temps même, chaque fois que le pouvoir eut le tort de faire intervenir la religion dans les affaires de l'État chaque fois qu'une atteinte fut portée à la liberté de conscience on joua *Tartuffe* comme une protestation toujours vivante et toujours actuelle. N'est-ce pas là la preuve la plus irrécusable de la portée, et de ce qu'on pourrait appeler la vérité profondément humaine de cette œuvre ? Maintenant, après tant de témoignages d'admiration ou des critiques tombées de si haut, s'il nous est permis de poser une question, nous nous demanderons : Cette pièce de Molière, qui a soulevé tant d'orages, et de notre temps même occasionné plus d'une émeute, cachait-elle réellement, comme on l'a dit d'un côté, une attaque contre la croyance, ou, comme on l'a dit de l'autre, une défense de la croyance contre l'hypocrisie qui ne fait que la compromettre ? Nous pensons, pour notre part, que Molière n'avait, à proprement parler, aucune intention religieuse, soit dans le sens de l'attaque, soit dans le sens de la défense, et qu'il voulait tout simplement flétrir un vice, en laissant la religion complètement en dehors. Mais, nous ajouterons qu'en attaquant les faux dévots, il forgea, non pas positivement pour les hommes de son temps, mais pour ceux qui les suivirent, des armes qui devaient blesser plus d'un croyant sincère. Molière, en effet, placé au milieu des génies conservateurs et religieux du dix-septième siècle, forme avec Bayle et La Fontaine la transition de l'école de Montaigne à l'école de Voltaire. Le trait lancé par Poquelin, contre ceux qui de son temps se couvraient de la piété comme d'un masque, et l'exploitaient comme un instrument, ce trait fut bientôt ramassé comme sur un champ de bataille par ceux qui ne croyaient plus, et lancé de nouveau par eux contre ceux qui croyaient encore.

Tartuffe eut la même destinée que *les Provinciales*. Il dépassa le but que sans aucun doute l'auteur s'était proposé, et l'on peut de tous points rappeler, à propos de Molière, ce jugement de M. Sainte-Beuve sur Pascal :

« En démasquant si bien le dedans, il contribua à discréditer la pratique ; en perçant si victorieusement le casuisme, il atteignit, sans y songer, la confession même, c'est-à-dire le tribunal qui rend nécessaire ce code de procédure morale et, jusqu'à un certain point, cet art de chicane. On débite chez ces apothicaires bien des poisons ; quand cela fut bien prouvé, on eut l'idée toute naturelle de conclure à laisser là le remède. Ce qu'un de ses descendants les plus directs, Paul-Louis Courier, a dit du confessionnal, l'auteur des *Provinciales* l'a préparé.

« L'esprit humain, une fois éveillé, tire jusqu'au bout les conséquences. La raillerie est comme ces coursiers des dieux d'Homère : en trois pas au bout du monde. *Les Provinciales*, *le Tartuffe* et le *Mariage de Figaro* ! »

PRÉFACE

oici une comédie dont on a fait beaucoup de bruit, qui a été longtemps persécutée, et les gens qu'elle joue ont bien fait voir qu'ils étaient plus puissants en France que tous ceux que j'ai joués jusques ici. Les marquis, les précieuses, les cocus et les médecins, ont souffert doucement qu'on les ait représentés, et ils ont fait semblant de se divertir, avec tout le monde, des peintures que l'on a faites d'eux ; mais les hypocrites n'ont point entendu raillerie ; ils se sont effarouchés d'abord, et ont trouvé étrange que j'eusse la hardiesse de jouer leurs grimaces, et de vouloir décrier un métier dont tant d'honnêtes gens se mêlent. C'est un crime qu'ils ne sauraient me pardonner ; et ils se sont tous armés contre ma comédie avec une fureur épouvantable. Ils n'ont eu garde de l'attaquer par le côté qui les a blessés : ils sont trop politiques pour cela, et savent trop bien vivre pour découvrir le fond de leur âme. Suivant leur louable coutume, ils ont couvert leurs intérêts de la cause de Dieu ; et *le Tartuffe*, dans leur bouche, est une pièce qui offense la piété. Elle est, d'un bout à l'autre, pleine d'abominations, et l'on n'y trouve rien qui ne mérite le feu. Toutes les syllabes en sont impies ; les gestes même y sont criminels ; et le moindre coup d'œil, le moindre branlement de tête, le moindre pas à droite ou à gauche, y cachent des mystères qu'ils trouvent moyen d'expliquer à mon désavantage.

J'ai eu beau la soumettre aux lumières de mes amis, et à la censure de tout le monde ; les corrections que j'y ai pu faire ; le jugement du roi et de la reine, qui l'ont vue ; l'approbation des grands princes et de messieurs les ministres, qui l'ont honorée publiquement de leur présence ; le témoignage des gens de bien, qui l'ont trouvée profitable, tout cela n'a de rien servi. Ils n'en veulent point démordre ; et, tous les jours encore, ils font crier en public des zélés indiscrets, qui me disent des injures pieusement, et me damnent par charité.

Je me soucierais fort peu de tout ce qu'ils peuvent dire, n'était l'artifice qu'ils ont de me faire des ennemis que je respecte, et de jeter dans leur parti de véritables gens de bien, dont ils préviennent la bonne foi, et qui, par la chaleur qu'ils ont pour les intérêts du ciel, sont faciles à recevoir les impressions qu'on veut leur donner. Voilà ce qui m'oblige à me défendre. C'est aux vrais dévots que je veux partout me justifier sur la conduite de ma comédie ; et je les conjure, de tout mon cœur, de ne point condamner les choses avant que de les voir, de se défaire de toute prévention, et de ne point servir la passion de ceux dont les grimaces les déshonorent.

Si l'on prend la peine d'examiner de bonne foi ma comédie, on verra sans doute que mes intentions y sont partout innocentes, et qu'elle ne tend nullement à jouer les choses que l'on doit révérer ; que je l'ai traitée avec toutes les précautions que demandait la délicatesse de la matière ; et que j'ai mis tout l'art et tous les soins qu'il m'a été possible pour bien distinguer le personnage de l'hypocrite d'avec celui du vrai dévot. J'ai employé pour cela deux actes entiers à préparer la venue de mon scélérat. Il ne tient pas un seul moment l'auditeur en balance ; on le connaît d'abord aux marques que je lui donne ; et, d'un bout à l'autre, il ne dit pas un mot, il ne fait pas une action, qui ne peigne aux spectateurs le caractère d'un méchant homme, et ne fasse éclater celui du véritable homme de bien que je lui oppose.

Je sais bien que, pour réponse, ces messieurs tâchent d'insinuer que ce n'est point au théâtre à parler de ces matières ; mais je leur demande, avec leur permission, sur quoi ils fondent cette belle maxime. C'est une proposition qu'ils ne font que supposer, et qu'ils ne prouvent en aucune façon ; et, sans doute, il ne serait pas difficile de leur faire voir que la comédie, chez les anciens, a pris son origine de la religion, et faisait partie de leurs mystères ; que les Espagnols, nos voisins, ne célèbrent guère de fêtes où la comédie ne soit mêlée ; et que, même parmi nous, elle doit sa naissance aux soins d'une confrérie à qui appartient encore aujourd'hui l'hôtel de Bourgogne ; que c'est un lieu qui fut donné pour y représenter les plus importants mystères de notre foi ; qu'on en voit encore des comédies imprimées en lettres gothiques, sous le nom d'un docteur de Sorbonne ; et, sans aller chercher si loin, que l'on a joué, de notre temps, des pièces saintes de M. de Corneille, qui ont été l'admiration de toute la France.

Si l'emploi de la comédie est de corriger les vices des hommes je ne vois pas par quelle raison il y en aura de privilégiés. Celui-ci est, dans l'État, d'une conséquence bien plus dangereuse que tous les autres ; et nous avons vu que le théâtre a une grande vertu pour la correction. Les plus beaux traits d'une sérieuse morale sont moins puissants, le plus souvent, que ceux de la satire ; et rien ne reprend mieux la plupart des hommes que la peinture de leurs défauts. C'est une grande atteinte aux vices, que de les exposer à la risée de tout le monde. On souffre aisément des répréhensions ; mais on ne souffre point la raillerie. On veut bien être méchant ; mais on ne veut point être ridicule.

On me reproche d'avoir mis des termes de piété dans la bouche de mon imposteur. Hé ! pouvais-je m'en empêcher, pour bien représenter le caractère d'un hypocrite ? Il suffit, ce me semble, que je fasse connaître les motifs criminels qui lui font dire les choses, et que j'en aie retranché les termes consacrés, dont on aurait eu peine à lui entendre faire un mauvais usage. — Mais il débite au quatrième acte une morale pernicieuse. — Mais cette morale est-elle quelque chose dont tout le monde n'eût les oreilles rebattues ? Dit-elle rien de nouveau dans ma comédie ? Et peut-on craindre que des choses si généralement détestées fassent quelque impression dans les esprits ; que je les rende dangereuses en les faisant monter sur le théâtre ; qu'elles reçoivent quelque autorité de la bouche d'un scélérat ? Il n'y a nulle apparence à cela ; et l'on doit approuver la comédie du Tartuffe, ou condamner généralement toutes les comédies.

C'est à quoi l'on s'attache furieusement depuis un temps ; et jamais on ne s'était si fort déchaîné contre le théâtre. Je ne puis pas nier qu'il n'y ait eu des Pères de l'Église qui ont condamné la comédie ; mais on ne peut pas me nier aussi qu'il n'y en ait eu quelques-uns qui l'ont traitée un peu plus doucement. Ainsi l'autorité dont on prétend appuyer la censure est détruite par ce partage : et toute la conséquence qu'on peut tirer de cette diversité d'opinions en des esprits éclairés des mêmes lumières, c'est qu'ils ont pris la comédie différemment, et que les uns l'ont considérée dans sa pureté, lorsque les autres l'ont regardée dans sa corruption, et confondue avec tous ces vilains spectacles qu'on a eu raison de nommer des spectacles de turpitude.

Et en effet, puisqu'on doit discourir des choses et non pas des mots, et que la plupart des contrariétés viennent de ne se pas entendre, et d'envelopper dans un même mot des choses opposées, il ne faut qu'ôter le voile de l'équivoque, et regarder ce qu'est la comédie en soi, pour voir si elle est condamnable. On connaîtra, sans doute, que, n'étant autre chose qu'un poème ingénieux, qui, par des leçons agréables, reprend les défauts des hommes, on ne saurait la censurer sans injustice ; et, si nous voulons ouïr là-dessus le témoignage de l'antiquité, elle nous dira que ses plus célèbres philosophes ont donné des louanges à la comédie, eux qui faisaient profession d'une sagesse si austère, et qui criaient sans cesse après les vices de leur siècle. Elle nous fera voir qu'Aristote a consacré des veilles au théâtre, et s'est donné le soin de réduire en préceptes l'art de faire des comédies. Elle nous apprendra que de ses plus grands hommes, et des premiers en dignité, ont fait gloire d'en composer eux-mêmes ; qu'il y en a eu d'autres qui n'ont pas dédaigné de réciter en public celles qu'ils avoient composées, que la Grèce a fait pour cet art éclater son estime, par les prix glorieux et par les superbes théâtres dont elle a voulu l'honorer ; et que, dans Rome enfin, ce même art a reçu aussi des honneurs extraordinaires : je ne dis pas dans Rome débauchée, et sous la licence des empereurs, mais dans Rome disciplinée, sous la sagesse des consuls, et dans le temps de la vigueur de la vertu romaine.

J'avoue qu'il y a eu des temps ou la comédie s'est corrompue. Et qu'est-ce que dans le monde on ne corrompt point tous les jours ? Il n'y a chose si innocente où les hommes ne puissent porter du crime ; point d'art si salutaire dont ils ne soient capables de renverser les intentions ; rien de si bon en soi qu'ils ne puissent tourner à de mauvais usages. La médecine est un art profitable, et chacun la révère comme une des plus excellentes choses que nous ayons ; et cependant il y a eu des temps où elle s'est rendue odieuse, et souvent on en a fait un art d'empoisonner les hommes. La philosophie est un présent du ciel ; elle nous a été donnée pour porter nos esprits à la connaissance d'un Dieu, par la contemplation des merveilles de la nature ; et pourtant on n'ignore pas que souvent en l'a détournée de son emploi, et qu'on l'a occupée publiquement à soutenir l'impiété. Les choses même les plus saintes ne sont point à couvert de la corruption des hommes ; et nous voyons des scélérats qui, tous les jours, abusent de la piété, et la font servir méchamment aux crimes les plus grands. Mais on ne laisse pas pour cela de faire les distinctions qu'il est besoin de faire. On n'enveloppe point dans une fausse conséquence la bonté des choses que l'on corrompt, avec la malice des corrupteurs. On sépare toujours le mauvais usage d'avec l'intention de l'art ; et, comme ou ne s'avise point de défendre la médecine pour avoir été bannie de Rome, ni la philosophie pour avoir été condamnée publiquement dans Athènes, ou ne doit point aussi vouloir interdire la comédie pour avoir été censurée en de certains temps. Cette censure a eu ses raisons, qui ne subsistent point ici. Elle s'est renfermée dans ce qu'elle a pu voir ; et nous ne devons point la tirer des bornes qu'elle s'est données, l'étendre plus loin qu'il ne faut, et lui faire embrasser l'innocent avec le coupable. La comédie qu'elle a eu dessein d'attaquer n'est point du tout la comédie que nous voulons défendre. Il se faut bien garder de confondre celle-là avec celle-ci. Ce sont deux personnes de qui les mœurs sont tout à fait opposées. Elles n'ont aucun rapport l'une avec l'autre que la ressemblance du nom, et ce serait une injustice épouvantable que de vouloir condamner Olympe, qui est femme de bien, parce qu'il y a une Olympe qui a été une débauchée. De semblables arrêts, sans doute, feraient un grand désordre dans le monde. Il n'y aurait rien par-là qui ne fût condamné ; et puisque l'on ne garde point cette rigueur à tant de choses dont on abuse tous les jours, on doit bien faire la même grâce à la comédie, et approuver les pièces de théâtre où l'on verra régner l'instruction et l'honnêteté.

Je sais qu'il y a des esprits dont la délicatesse ne peut souffrir aucune comédie ; qui disent que les plus honnêtes sont les plus dangereuses ; que les passions que l'on y dépeint sont d'autant plus touchantes qu'elles sont pleines de vertu, et que les âmes sont attendries par ces sortes de représentations. Je ne vois pas quel grand crime c'est que de s'attendrir à la vue d'une passion honnête ; et c'est un haut étage de vertu que cette pleine insensibilité où ils veulent faire monter notre âme. Je doute qu'une si grande perfection soit dans les forces de la nature humaine ; et je ne sais s'il n'est pas mieux de travailler à rectifier et adoucir les passions des hommes que de vouloir les retrancher entièrement. J'avoue qu'il y a des lieux qu'il vaut mieux fréquenter que le théâtre ; et si l'on veut blâmer toutes les choses qui ne regardent pas directement Dieu et notre salut, il est certain que la comédie en doit être, et je ne trouve point mauvais qu'elle soit condamnée avec le reste ; mais supposé, comme il est vrai, que les exercices de la piété souffrent des intervalles, et que les hommes aient besoin de divertissement, je soutiens qu'on ne leur en peut trouver un qui soit plus innocent que la comédie. Je me suis étendu trop loin. Finissons par un mot d'un grand prince sur la comédie du *Tartuffe*.

Huit jours après qu'elle eut été défendue, on représenta devant la cour une pièce intitulée *Scaramouche ermite* ; et le roi, en sortant, dit au grand prince que je veux dire : « Je voudrais bien savoir pourquoi les gens qui se scandalisent si fort de la comédie de Molière ne disent mot de celle de Scaramouche ; » à quoi le prince répondit : « La raison de cela, c'est que la comédie de *Scaramouche* joue le ciel et la religion, dont ces messieurs-là ne se soucient point : mais celle de Molière les joue eux-mêmes ; c'est ce qu'ils ne peuvent souffrir. »

PREMIER PLACET

SIRE,

Le devoir de la Comédie estant de corriger les hommes en les divertissant, j'ay cru que, dans l'employ où je me trouve, je n'avois rien de mieux à faire que d'attaquer par des peintures ridicules les vices de mon siècle ; et, comme l'Hipocrisie, sans doute, en est un des plus en usage, des plus incommodes et des plus dangereux, j'avois eu, SIRE, la pensée que je ne rendrais pas un petit service à tous les honnestes Gens de vostre Royaume, si je faisois une Comédie qui décriast les Hipocrites et mist en veue, comme il faut, toutes les grimaces étudiées de ces Gens de bien à outrance, toutes les friponneries couvertes de ces Faux-Monnoyeurs en dévotion, qui veulent attraper les Hommes avec un zèle contrefait et une charité sophistique.

Je l'ay faite, SIRE, cette Comédie, avec tout le soin, comme je croy, et toutes les circonspections que pouvoit demander la délicatesse de la matière ; et, pour mieux conserver l'estime et le respect qu'on doit aux vrais Dévots, j'en ay distingué, le plus que j'ay pu, le caractère que j'avois à toucher ; je n'ay point laissé d'équivoque, j'ay ôté ce qui pouvoit confondre le bien avec le mal, et ne me suis servy, dans cette peinture, que des couleurs expresses et des traits essentiels qui font reconnoistre d'abord un véritable et franc Hipocrite.

Cependant toutes mes précautions ont esté inutiles. On a profité, SIRE, de la délicatesse de vostre âme sur les matières de Religion, et l'on a sçeu vous prendre par l'endroit seul que vous estes prenable, je veux dire par le respect des choses saintes. Les Tartuffes,, sous mains, ont eu l'adresse de trouver grâce auprès de VOSTRE MAJESTÉ, et les Originaux enfin ont fait supprimer la Copie, quelque innocente qu'elle fust et quelque ressemblante qu'on la trouvast.

Bien que ce m'ait été un coup sensible que la suppression de cet ouvrage, mon malheur pourtant estoit adoucy par la manière dont VOSTRE MAJESTÉ s'estoit expliquée sur ce sujet, et j'ay cru, SIRE, qu'elle m'ostoit tout lieu de me plaindre, ayant eu la bonté de déclarer qu'elle ne trouvoit rien à dire dans cette Comédie, qu'elle me défendoit de produire en public.

Mais, malgré cette glorieuse déclaration du plus grand Roy du Monde et du plus éclairé, malgré l'approbation encore de Monsieur le Légat, et de la plus grande partie de nos Prélats, qui tous, dans les lectures particulières que je leur ay faites de mon ouvrage, se sont trouvés d'accord avec les sentiments de VOSTRE MAJESTÉ ; malgré tout cela, dis-je, on voit un livre, composé par le Curé de..., qui donne hautement un démenty à tous ces augustes témoignages. VOSTRE MAJESTÉ a beau dire, et Monsieur le Légat, et mesme les Prélats, ont beau donner leur jugement ; ma Comédie, sans l'avoir veue, est diabolique, et diabolique mon cerveau ; je suis un Démon, vestu de chair et habillé en Homme, un Libertin, un Impie digne d'un supplice exemplaire, Ce n'est pas assez que le feu expie en public mon offense, j'en serais quitte à trop bon marché ; le zèle charitable de ce galant Homme de bien n'a garde de demeurer là ; il ne veut point que j'aye de miséricorde auprès de Dieu, il veut absolument que je sois damné : c'est une affaire résolue.

Ce Livre, SIRE, a été présenté à VOSTRE MAJESTÉ et, sans doute, elle juge bien Elle-mesme combien il m'est fâcheux de me voir exposé tous les jours aux insultes de ces Messieurs ; quel tort me feront dans le Monde dételles calomnies, s'il faut qu'elles soient tollérées ; et quel intérest j'ay enfin à me purger de son imposture, et à faire voir, au. public que ma Comédie n'est rien moins que ce qu'on veut qu'elle soit. Je ne diray point, SIRE, ce que j'avois à demander pour ma réputation, et pour justifier à tout le Monde l'innocence de mon ouvrage. Les :Roys éclairez comme vous n'ont pas besoin qu'on leur marque ce qu'on souhaitte ; ils voyent, comme Dieu, ce qu'il nous faut, et.sçavent mieux que nous ce qu'ils nous doivent accorder. Il me suffit de mettre mes intérests entre les mains de VOSTRE MAJESTÉ, et j'attends d'elle, avec respect, tout ce qu il lui plaira d'ordonner là-dessus.

SECOND PLACET

PRESENTE AU ROY

Dans son camp devant la ville de Lisle en Flandre

C'est une chose bien téméraire à moy que de venir importuner un grand Monarque au milieu de ses glorieuses Conquestes ; mais, dans l'état où je me voy, où trouver, SIRE, une protection, qu'au Lieu où je la viens chercher ? Et qui puis-je solliciter contre l'autorité de la Puissance qui m'accable, que la source de la Puissance et de l'Autorité, que le juste Dispensateur des ordres absolus, que le souverain Juge et le Maistre de toutes choses ?

Ma Comédie, SIRE, n'a pu jouir icy des bontés de VOSTRE MAJESTÉ. En vain je l'ay produite sous le titre de l'Imposteur, et déguisé le personnage sous l'ajustement d'un homme du inonde. J'ay eu beau lui donner un petit chapeau, de grands cheveux, un grand collet, une épée, et des dentelles sur tout l'habit ; mettre en plusieurs endroits des adoucissemens et retrancher avec soin tout ce que j'ay jugé capable de fournir l'ombre d'un prétexte aux célèbres Originaux du portrait que je voulois faire ; tout cela n'a de rien servy. La Cabale s'est réveillée aux simples conjectures qu'ils ont pu avoir de la chose. Ils ont trouvé moyen de surprendre des Esprits qui, dans toute autre matière, font une haute profession de ne se laisser surprendre. Ma Comédie n'a pas plutôt paru qu'elle s'est vue foudroyée par le coup d'un, pouvoir qui doit imposer du respect ; et tout ce que j'ay pu faire en cette rencontre, pour me sauver moy-mesme de l'éclat de cette tempeste, c'est de dire' que VOSTRE MAJESTÉ avoit eu la bonté de m'en permettre la représentation, et que je n'avois pas cru qu'il fust besoin de demander cette permission à d'autres, puisqu'il n'y avoit qu'Elle seule qui me l'eust défendue.

Je ne doute point, SIRE, que les gens que je peins dans ma Comédie ne remuent bien des ressorts auprès de VOSTRE MAJESTÉ, et ne jettent dans leur parti, comme ils ont déjà fait, de véritables gens de bien, qui sont d'autant plus prompts à se laisser tromper qu'ils jugent d'autruy par euxmesmes. Ils ont l'art de donner de belles couleurs à toutes leurs intentions ; quelque mine qu'ils fassent, ce n'est point du tout l'intérêt de Dieu qui les peut émouvoir ; ils l'ont assez montré dans les Comédies qu'ils ont souffert qu'on ait jouées tant de fois en public, sans en dire le moindre mot. Celles-là n'attaquoient que la Piété et la Religion, dont ils se soucient fort peu ; mais celle-cy les attaque et les joue eux-mesmes,et c'est ce qu'ils ne peuvent souffrir. Ils ne sçauroient me pardonner de dévoiler leurs impostures aux yeux de tout le monde ; et, sans doute, on ne manquera pas de dire à VOSTRE MAJESTÉ que chacun s'est scandalisé de ma Comédie. Mais la vérité pure, SIRE, c'est que tout Paris ne s'est scandalisé que de la défense qu'on en a faite, que les plus scrupuleux en ont trouvé la représentation profitable, et qu'on s'est étonné que des Personnes d'une probité si connue ayent eu une aussi grande déférence pour des Gens qui devraient être l'horreur de tout le Monde, et sont si opposés à la véritable Piété dont elles font profession.

J'attens avec respect l'Arrest que VOSTRE MAJESTÉ daignera prononcer sur cette matière ; mais il est très assuré, SIRE, qu'il ne faut plus que je songe à faire des Comédies, si les Tartuffes ont l'avantage ; qu'ils prendront droit par là de me persécuter plus que jamais, et voudront trouver à redire aux choses les plus innocentes qui pourront sortir de ma plume.

Daignent vos bontez, SIRE, me donner une protection contre leur rage envenimée, et puissé-je, au retour d'une Campagne si glorieuse, délasser VOSTRE MAJESTÉ des fatigues de ses Conquestes, luy donner d'innocents plaisirs après de si nobles travaux, et faire rire le Monarque qui fait trembler toute l'Europe !

TROISIÈME PLACET

PRESENTE AU ROY

Un fort honneste Médecin, dont j'ay l'honneur d'être le Malade, me promet et veut s'obliger, par-devant Notaires, de me faire vivre encore trente années, si je puis luy obtenir une grâce de VOSTRE MAJESTÉ.-Je luy ai dit, sur sa promesse, que je ne luy demandois pas tant, et que je serais satisfait de luy, pourvu qu'il s'obligeast de ne me point tuer. Cette grâce, SIRE, est un Canonicat de Vostre Chapelle Royale de Vincennes, vaccant par la mort de...

Oserois-je demander encore cette grâce à VOSTRE MAJESTÉ, le propre jour de la grande résurrection de Tartuffe, ressuscité par vos bontés ?

Je suis, par cette première faveur, réconcilié avec les Dévots, et je le serais, par cette seconde, avec les Médecins. C'est pour moy, sans doute, trop de grâce à la fois ; mais peut-être n'en est-ce pas trop pour VOSTRE MAJESTÉ, et j'attends, avec un peu d'espérance respectueuse, la réponse de mon Placet.

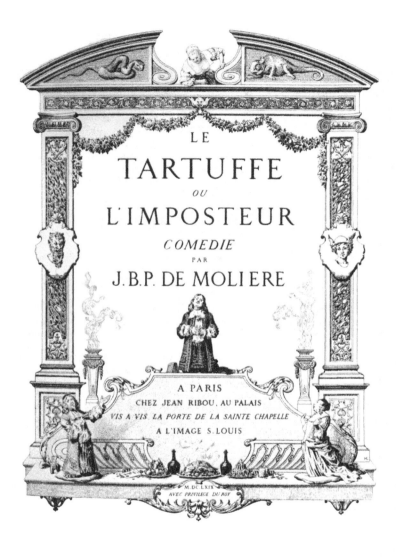

LE
TARTUFFE
OU
L'IMPOSTEUR
COMEDIE
PAR
J.B.P. DE MOLIERE

A PARIS
CHEZ JEAN RIBOU, AU PALAIS
VIS A VIS LA PORTE DE LA SAINTE CHAPELLE
A L'IMAGE S.LOUIS

M.DC.LXIX.
AVEC PRIVILEGE DU ROY

LE TARTUFFE

ou

L'IMPOSTEUR

ACTEURS

Mme Pernelle, mère d'Orgon.
Orgon, mari d'Elmire.
Elmire, femme d'Orgon.
Damis, fils d'Orgon.
Mariane, fille d'Orgon et
    amante de Valère.
Valère, amant de Mariane.
Cléante, beau-frère d'Orgon.
Tartuffe, faux dévot.
Dorine, suivante de Mariane.
M. Loyal, sergent.
Un Exempt.
Flipote, servante de
    madame Pernelle.
La scène est à Paris dans
    la maison d'Orgon.

---

[1] Mme Pernelle, mère d'Orgon : Béjart. Orgon, mari d'Elmire : Molière. Elmire, femme d'Orgon : Mademoiselle Molière (Armande Béjart). Damis, fils d'Orgon : Hubert. Mariane, fille d'Orgon et amante de Valère : Mademoiselle de Brie. Valère, amant de Mariane : La Grange. Cléante, beau-frère d'Orgon : La Thorillière. Tartuffe, faux dévot : Du Croisy. Dorine, suivante de Mariane : Magdeleine Béjart. M. Loyal, sergent : De Brie.

ACTE I

Scène1

Madame Pernelle, Elmire, Cléante, Damis, Mariane, Dorine, Flipote.

Madame Pernelle

llons, Flipote, allons ; que d'eux je me délivre.

Elmire

Vous marchez d'un tel pas, qu'on a peine à vous suivre.

Madame Pernelle

Laissez, ma bru, laissez ; ne venez pas plus loin ;
Ce sont toutes façons dont je n'ai pas besoin.

Elmire

De ce que l'on vous doit envers vous on s'acquitte.
Mais, ma mère, d'où vient que vous sortez si vite ?

Madame Pernelle

C'est que je ne puis voir tout ce ménage-ci,
Et que de me complaire on ne prend nul souci.
Oui, je sors de chez vous fort mal édifiée :
Dans toutes mes leçons j'y suis contrariée ;
On n'y respecte rien, chacun y parle haut,
Et c'est tout justement la cour du roi Pétaud[2].

Dorine

Si...

Madame Pernelle

Vous êtes, ma mie, une fille suivante,
Un peu trop forte en gueule, et fort impertinente ;
Vous vous mêlez sur tout de dire votre avis.

Damis

Mais...

Madame Pernelle

Vous êtes un sot en trois lettres, mon fils ;
C'est moi qui vous le dis, qui suis votre grand'mère ;
Et j'ai prédit cent fois à mon fils, votre père,
Que vous preniez tout l'air d'un méchant garnement,
Et ne lui donneriez jamais que du tourment.

Mariane

Je crois...

Madame Pernelle

Mon Dieu ! sa sœur, vous faites la discrète,
Et vous n'y touchez pas, tant vous semblez doucette ;
Mais il n'est, comme on dit, pire eau que l'eau qui dort,
Et vous menez sous chape[3] un train que je hais fort.

---

[2] Suivant les commentateurs, le roi Pétaud (de peto, je demande) était le nom du chef que se choisissaient les mendiants au moyen-âge. La cour d'un tel roi, avec de tel sujets, ne devait pas nécessairement présenter que désordre et confusion. Le mot pétaudière se rattache probablement à la même origine.

[3] *Sous chape* ou *sous cape*, en secret. La cape ou la chape, de *bardocucullus* des Gaulois, était un manteau à capuchon. On rabattait ce capuchon pour se cacher le visage, lorsqu'on voulait n'être point reconnu ; et métaphoriquement on vivait sous cape, quand on cachait ses actions.

Elmire

Mais, ma mère…

Madame Pernelle

Ma bru, qu'il ne vous en déplaise,
Votre conduite, en tout, est tout à fait mauvaise ;
Vous devriez leur mettre un bon exemple aux yeux ;
Et leur défunte mère en usait beaucoup mieux.
Vous êtes dépensière ; et cet état me blesse,
Que vous alliez vêtue ainsi qu'une princesse.
Quiconque à son mari veut plaire seulement,
Ma bru, n'a pas besoin de tant d'ajustement.

Cléante

Mais, madame, après tout…

Madame Pernelle

Pour vous, monsieur son frère,
Je vous estime fort, vous aime, et vous révère ;
Mais enfin si j'étais de mon fils son époux,
Je vous prierais bien fort de n'entrer point chez nous.
Sans cesse vous prêchez des maximes de vivre
Qui par d'honnêtes gens ne se doivent point suivre.
Je vous parle un peu franc ; mais c'est là mon humeur,
Et je ne mâche point ce que j'ai sur le cœur[4].

Damis

Votre Monsieur Tartuffe est bien heureux, sans doute…

Madame Pernelle

C'est un homme de bien qu'il faut que l'on écoute ;
Et je ne puis souffrir sans me mettre en courroux,
De le voir querellé par un fou comme vous[5].

---

[4] Molière, dans cette entrée en scène, dessine et fait connaître ses caractères avec une verve incomparable, ce qui a fait dire à l'auteur de la *Lettre sur l'Imposteur*, publiée quinze jour après la première représentation : « le spectateur reçoit une volupté très sensible d'être informé dès l'abord de la nature des personnages par une voie si fidèle et si agréable. »

[5] Var. : *De le voir quereller par un fou comme vous.*

Damis

Quoi ! je souffrirai, moi, qu'un cagot de critique
Vienne usurper céans un pouvoir tyrannique ;
Et que nous ne puissions à rien nous divertir,
Si ce beau monsieur-là n'y daigne consentir ?

Dorine

S'il le faut écouter, et croire à ses maximes,
On ne peut faire rien, qu'on ne fasse des crimes ;
Car il contrôle tout, ce critique zélé.

Madame Pernelle

Et tout ce qu'il contrôle est fort bien contrôlé.
C'est au chemin du ciel qu'il prétend vous conduire :
Et mon fils à l'aimer vous devrait tous induire.

Damis

Non, voyez-vous, ma mère, il n'est père ni rien,
Qui me puisse obliger à lui vouloir du bien :
Je trahirais mon cœur de parler d'autre sorte.
Sur ses façons de faire à tous coups je m'emporte :
J'en prévois une suite, et qu'avec ce pied-plat
Il faudra que j'en vienne à quelque grand éclat.

Dorine

Certes, c'est une chose aussi qui scandalise
De voir qu'un inconnu céans s'impatronise ;
Qu'un gueux, qui, quand il vint, n'avait pas de souliers,
Et dont l'habit entier valait bien six deniers,
En vienne jusque-là que de se méconnaître,
De contrarier tout, et de faire le maître.

Madame Pernelle

Eh ! merci de ma vie, il en irait bien mieux
Si tout se gouvernait par ses ordres pieux.

Dorine

Il passe pour un saint dans votre fantaisie :
Tout son fait, croyez-moi, n'est rien qu'hypocrisie.

Madame Pernelle

Voyez la langue !

Dorine

À lui, non plus qu'à son Laurent,
Je ne me fierais, moi, que sur un bon garant.

Madame Pernelle

J'ignore ce qu'au fond le serviteur peut être ;
Mais pour homme de bien je garantis le maître.
Vous ne lui voulez mal et ne le rebutez
Qu'à cause qu'il vous dit à tous vos vérités.
C'est contre le péché que son cœur se courrouce
Et l'intérêt du ciel est tout ce qui le pousse.

Dorine

Oui ; mais pourquoi, surtout depuis un certain temps,
Ne saurait-il souffrir qu'aucun hante céans ?
En quoi blesse le ciel une visite honnête,
Pour en faire un vacarme à nous rompre la tête ?
Veut-on que là-dessus je m'explique entre nous ?...

(Montrant Elmire.)

Je crois que de madame il est, ma foi, jaloux[6].

Madame Pernelle

Taisez-vous, et songez aux choses que vous dites.
Ce n'est pas lui tout seul qui blâme ces visites :
Tout ce tracas qui suit les gens que vous hantez,
Ces carrosses sans cesse à la porte plantés,
Et de tant de laquais le bruyant assemblage,
Font un éclat fâcheux dans tout le voisinage.
Je veux croire qu'au fond il ne se passe rien ;
Mais enfin on en parle, et cela n'est pas bien.

Cléante

Hé ! voulez-vous, madame, empêcher qu'on ne cause ?
Ce serait dans la vie une fâcheuse chose,
Si, pour les sots discours où l'on peut être mis,
Il fallait renoncer à ses meilleurs amis.

---

[6] L'auteur de la *Lettre sur l'Imposteur* a remarqué le premier que ce trait était là pour faire pressentir la conduite, ou plutôt pour rendre croyable l'amour porté de Tartuffe.

(Aimé Martin)

Et quand même on pourrait se résoudre à le faire,
Croiriez-vous obliger tout le monde à se taire ?
Contre la médisance il n'est point de rempart.
À tous les sots caquets n'ayons donc nul égard ;
Efforçons-nous de vivre avec toute innocence,
Et laissons aux causeurs une pleine licence.

Dorine

Daphné, notre voisine, et son petit époux,
Ne seraient-ils point ceux qui parlent mal de nous ?
Ceux de qui la conduite offre le plus à rire
Sont toujours sur autrui les premiers à médire :
Ils ne manquent jamais de saisir promptement
L'apparente lueur du moindre attachement,
D'en semer la nouvelle avec beaucoup de joie,
Et d'y donner le tour qu'ils veulent qu'on y croie ;
Des actions d'autrui, teintes de leurs couleurs,
Ils pensent dans le monde autoriser les leurs,
Et, sous le faux espoir de quelque ressemblance,
Aux intrigues qu'ils ont donner de l'innocence,
Ou faire ailleurs tomber quelques traits partagés
De ce blâme public dont ils sont trop chargés[7].

Madame Pernelle

Tous ces raisonnements ne font rien à l'affaire.
On sait qu'Orante mène une vie exemplaire ;
Tous ses soins vont au ciel ; et j'ai su, par des gens,
Qu'elle condamne fort le train qui vient céans.

Dorine

L'exemple est admirable, et cette dame est bonne !
Il est vrai qu'elle vit en austère personne ;
Mais l'âge, dans son âme, a mis ce zèle ardent,
Et l'on sait qu'elle est prude, à son corps défendant.
Tant qu'elle a pu des cœurs attirer les hommages,

---

[7] Cette tirade fait allusion à la comtesse de Soissons, Olympe Mancini, qui, pour se venger de l'abandon du roi, sema la nouvelle de ses amours avec La Vallière, encore vertueuse, et en instruisit la reine, en y donnant le tour qu'elle voulait qu'on y croie. Son petit époux joua un rôle dans cette intrigue, et ils furent exilés tous deux.

(Aimé Martin.)

Elle a fort bien joui de tous ses avantages ;
Mais, voyant de ses yeux tous les brillants baisser,
Au monde qui la quitte elle veut renoncer,
Et du voile pompeux d'une haute sagesse
De ses attraits usés déguiser la faiblesse.
Ce sont là les retours des coquettes du temps :
Il leur est dur de voir déserter les galants.
Dans un tel abandon, leur sombre inquiétude
Ne voit d'autre recours que le métier de prude ;
Et la sévérité de ces femmes de bien
Censure toute chose, et ne pardonne à rien[8].
Hautement d'un chacun elles blâment la vie,
Non point par charité, mais par un trait d'envie,
Qui ne saurait souffrir qu'une autre ait les plaisirs
Dont le penchant de l'âge a sevré leurs désirs[9].

Madame Pernelle, à Elmire.

Voilà les contes bleus qu'il vous faut pour vous plaire,
Ma bru. L'on est chez vous contrainte de se taire :
Car madame, à jaser, tient le dé tout le jour.
Mais enfin je prétends discourir à mon tour :
Je vous dis que mon fils n'a rien fait de plus sage
Qu'en recueillant chez soi ce dévot personnage ;
Que le ciel au besoin l'a céans envoyé
Pour redresser à tous votre esprit fourvoyé ;
Que, pour votre salut, vous le devez entendre,
Et qu'il ne reprend rien qui ne soit à reprendre.
Ces visites, ces bals, ces conversations,
Sont du malin esprit toutes inventions.
Là, jamais on n'entend de pieuses paroles ;
Ce sont propos oisifs, chansons, et fariboles :
Bien souvent le prochain en a sa bonne part,
Et l'on y sait médire et du tiers et du quart.

---

[8] Allusion à la duchesse de Navailles, qui avait fait placer des grilles à l'entrée des appartements des filles d'honneur, pour empêcher les entretiens du roi avec mademoiselle Lamothe Houdancourt. La duchesse de Navailles devait sa fortune à Mazarin, dont elle avait servi les intrigues pendant la Fronde, sous le nom de mademoiselle de Neuillant.

[9] La *Lettre* sur l'Imposteur indique ici un couplet de madame Pernelle et une repartie vigoureuse de Cléante, que Molière, sans doute, crut devoir supprimer à la reprise de sa pièce.

Enfin les gens sensés ont leurs têtes troublées
De la confusion de telles assemblées :
Mille caquets divers s'y font en moins de rien ;
Et, comme l'autre jour un docteur dit fort bien,
C'est véritablement la tour de Babylone[10],
Car chacun y babille, et tout du long de l'aune[11] ;
Et, pour conter l'histoire où ce point l'engagea...

(Montrant Cléante.)

Voilà-t-il pas monsieur qui ricane déjà !
Allez chercher vos fous qui vous donnent à rire,

(À Elmire.)

Et sans... Adieu, ma bru ; je ne veux plus rien dire.
Sachez que pour céans j'en rabats de moitié,
Et qu'il fera beau temps quand j'y mettrai le pied.

(Donnant un soufflet à Flipote.)

Allons, vous, vous rêvez et bayez aux corneilles.
Jour de Dieu ! je saurai vous frotter les oreilles.
Marchons, gaupe, marchons[12].

---

[10] Le Père Caussin, jésuite, dit, dans sa *Cour sainte*, que les *hommes ont fondé la tour de Babel, et les femmes la tour de babel*. Ce quolibet du jésuite n'aurait-il pas donné l'idée de celui que Molière met dans la bouche de madame Pernelle ? et le père Caussin ne serait-il pas le docteur dont parle la vieille dévote ?

(Auger)

[11] Jusqu'à satiété, sans rien oublier.

[12] L'exposition vaut seule une pièce entière : c'est une espèce d'action. L'ouverture de la scène vous transporte sur-le-champ dans l'intérieur d'un ménage où la mauvaise humeur et le babil grondeur d'une vieille femme, la contrariété des avis et la marche du dialogue, font ressortir naturellement tous les personnages, que le spectateur doit connaître sans que le poète ait l'air de les lui montrer. Le sot entêtement d'Orgon pour Tartuffe, les simagrées de dévotion et de zèle du faux dévot, le caractère tranquille et réservé d'Elmire, la fougue impétueuse de son fils Damis, la saine philosophie de son frère Cléante, la gaieté caustique de Dorine, et la liberté familière que lui donne une longue habitude de dire son avis sur tout, la douceur timide de Mariane, tout ce que la suite de la pièce doit développer, tout, jusqu'à l'amour de Tartuffe pour Elmire, est annoncé dans cette scène, qui est à la fois une exposition, un tableau, une situation.

(La Harpe.)

38

Scène2

Cléante, Dorine.

Cléante

Je n'y veux point aller,
De peur qu'elle ne vînt encor me quereller,
Que cette bonne femme...

Dorine

Ah ! certes, c'est dommage
Qu'elle ne vous ouît tenir un tel langage :
Elle vous dirait bien qu'elle vous trouve bon,
Et qu'elle n'est point d'âge à lui donner ce nom !

Cléante

Comme elle s'est pour rien contre nous échauffée !
Et que de son Tartuffe elle paraît coiffée !

Dorine

Oh ! vraiment, tout cela n'est rien au prix du fils :
Et, si vous l'aviez vu, vous diriez : C'est bien pis !
Nos troubles l'avaient mis sur le pied d'homme sage,
Et, pour servir son prince, il montra du courage[13].

---

[13] Toutes les précautions étaient prises, sinon pour ne plus choquer la cabale, du moins pour intéresser le roi dans la pièce, pour le mettre de son côté et le tenir. Dès la seconde scène du premier acte, Orgon est loué de n'avoir pas été frondeur : *Nos troubles l'avaient mis sur le pied d'homme sage, Et, pour servir son prince, il montra du courage.* Cela, dit en passant, allait au cœur de Louis XIV. Le soupçon d'avoir épousé les intérêts du coadjuteur fut toujours le grand crime, le péché originel de nos jansénistes dans son esprit. — L'acte cinquième tout entier roule sur la justice du roi ; c'est le roi qui, aux dernières scènes, devient le personnage dominant, quoique absent, le véritable Deus ex machina. Le Jupiter éclate ici comme dans l'*Amphitryon*, mais avec sérieux. Ce cinquième acte est toute une célébration de Louis XIV : D'*un fin discernement sa grande âme est pourvue Sur les choses toujours jette une droite vue ; Chez elle jamais rien ne surprend trop d'accès, Et sa ferme raison ne tombe en nul excès.* Cette louange sur le droit sens naturel et la modération de jugement du maître, était méritée encore à cette date de 1669 ; l'apparition du *Tartuffe* venait elle-même comme pièce à l'appui. Mais la balance, qui se maintint assez bien entre tout excès jusque durant les dix années suivantes, se rompit après.

(Sainte-Beuve.)

39

Mais il est devenu comme un homme hébété
Depuis que de Tartuffe on le voit entêté ;
Il l'appelle son frère et l'aime dans son âme
Cent fois plus qu'il ne fait mère, fils, fille et femme.
C'est de tous ses secrets l'unique confident,
Et de ses actions le directeur prudent ;
Il le choie, il l'embrasse ; et pour une maîtresse
On ne saurait, je pense, avoir plus de tendresse :
À table, au plus haut bout il veut qu'il soit assis ;
Avec joie il l'y voit manger autant que six ;
Les bons morceaux de tout, il faut qu'on les lui cède ;
Et, s'il vient à roter, il lui dit : Dieu vous aide[14].
Enfin il en est fou ; c'est son tout, son héros ;
Il l'admire à tous coups, le cite à tout propos ;
Ses moindres actions lui semblent des miracles,
Et tous les mots qu'il dit sont pour lui des oracles.
Lui, qui connaît sa dupe et qui veut en jouir,
Par cent dehors fardés a l'art de l'éblouir ;
Son cagotisme en tire à toute heure des sommes,
Et prend droit de gloser sur tous tant que nous sommes.
Il n'est pas jusqu'au fat qui lui sert de garçon,
Qui ne se mêle aussi de nous faire leçon ;
Il vient nous sermonner avec des yeux farouches,
Et jeter nos rubans, notre rouge, et nos mouches.
Le traître, l'autre jour, nous rompit de ses mains
Un mouchoir qu'il trouva dans une Fleur des Saints,
Disant que nous mêlions, par un crime effroyable,
Avec la sainteté les parures du diable.

Scène3

Elmire, Mariane, Damis, Cléante, Dorine.

Elmire, à Cléante.

Vous êtes bien heureux de n'être point venu
Au discours qu'à la porte elle nous a tenu.
Mais j'ai vu mon mari ; comme il ne m'a point vue,
Je veux aller là-haut attendre sa venue.

---

[14] Ce trait est emprunté de Juvénal :

..............................Laudare paratus

Cléante

Moi, je l'attends ici pour moins d'amusement ;
Et je vais lui donner le bonjour seulement.

Scène4

Cléante, Damis, Dorine.

Damis

De l'hymen de ma sœur touchez-lui quelque chose :
J'ai soupçon que Tartuffe à son effet s'oppose,
Qu'il oblige mon père à des détours si grands ;
Et vous n'ignorez pas quel intérêt j'y prends...
Si même ardeur enflamme et ma sœur et Valère,
La sœur de cet ami, vous le savez, m'est chère ;
Et s'il fallait...

Dorine

Il entre.

Scène5

Orgon, Cléante, Dorine.

Orgon

Ah ! mon frère, bonjour.

Cléante

Je sortais, et j'ai joie à vous voir de retour.
La campagne à présent n'est pas beaucoup fleurie.

Orgon

Dorine...

(À Cléante.)

Mon beau-frère, attendez, je vous prie.
Vous voulez bien souffrir, pour m'ôter de souci,
Que je m'informe un peu des nouvelles d'ici.

(À Dorine.)

Tout s'est-il, ces deux jours, passé de bonne sorte ?
Qu'est-ce qu'on fait céans ? comme est-ce qu'on s'y porte ?

Dorine

Madame eut avant-hier la fièvre jusqu'au soir,
Avec un mal de tête étrange à concevoir.

Orgon

Et Tartuffe ?

Dorine

Tartuffe ! Il se porte à merveille,
Gros et gras, le teint frais, et la bouche vermeille.

Orgon

Le pauvre homme[15] !

Dorine

Le soir elle eut un grand dégoût,
Et ne put, au souper, toucher à rien du tout,
Tant sa douleur de tête était encor cruelle !

Orgon

Et Tartuffe ?

Dorine

Il soupa, lui tout seul, devant elle ;
Et fort dévotement il mangea deux perdrix,
Avec une moitié de gigot en hachis.

Orgon

Le pauvre homme !

---

[15] Un soir, pendant la campagne de 1662, comme Louis XIV allait se mettre à table, il lui arriva de dire à Pèrefixe, évêque de Rodez, son ancien précepteur, qu'il lui conseillait d'en aller faire autant. Je ne ferai qu'une légère collation, dit le prélat en se retirant, c'est aujourd'hui vigile et jeûne. Cette réponse fit sourire un courtisan, qui, interrogé par Louis XIV, répondit que Sa Majesté pouvait se tranquilliser sur le compte de M. de Rodez ; après quoi il fit un récit exact du dîner de Son Excellence, dont le hasard l'avait rendu témoin. À chaque mets exquis que le conteur nommait, Louis XIV s'écriait : *Le pauvre homme* ! prononçant ces mots d'un son de voix varié qui les rendait plus plaisants. Molière, témoin de cette scène, en fit usage dans le Tartuffe.

(Bret.)

42

Dorine

La nuit se passa tout entière
Sans qu'elle pût fermer un moment la paupière ;
Des chaleurs l'empêchaient de pouvoir sommeiller,
Et jusqu'au jour, près d'elle, il nous fallut veiller.

Orgon

Et Tartuffe ?

Dorine

Pressé d'un sommeil agréable,
Il passa dans sa chambre au sortir de la table ;
Et dans son lit bien chaud il se mit tout soudain,
Où, sans trouble, il dormit jusques au lendemain.

Orgon

Le pauvre homme !

Dorine

À la fin, par nos raisons gagnée,
Elle se résolut à souffrir la saignée ;
Et le soulagement suivit tout aussitôt.

Orgon

Et Tartuffe ?

Dorine

Il reprit courage comme il faut ;
Et, contre tous les maux fortifiant son âme,
Pour réparer le sang qu'avait perdu madame,
But, à son déjeuner, quatre grands coups de vin.

Orgon

Le pauvre homme !

Dorine

Tous deux se portent bien enfin ;
Et je vais à madame annoncer, par avance,
La part que vous prenez à sa convalescence.

Scène6

Orgon, Cléante.

Cléante[16]

À votre nez, mon frère, elle se rit de vous :
Et, sans avoir dessein de vous mettre en courroux,
Je vous dirai tout franc que c'est avec justice.
A-t-on jamais parlé d'un semblable caprice ?
Et se peut-il qu'un homme ait un charme aujourd'hui
À vous faire oublier toutes choses pour lui ?
Qu'après avoir chez vous réparé sa misère,
Vous en veniez au point… ?

Orgon

Halte-là, mon beau-frère,
Vous ne connaissez pas celui dont vous parlez.

Cléante

Je ne le connais pas, puisque vous le voulez ;
Mais enfin, pour savoir quel homme ce peut être…

Orgon

Mon frère, vous seriez charmé de le connaître ;
Et vos ravissements ne prendraient point de fin.
C'est un homme… qui… ah !… un homme… un homme
enfin.
Qui suit bien ses leçons, goûte une paix profonde
Et comme du fumier regarde tout le monde.
Oui, je deviens tout autre avec son entretien ;
Il m'enseigne à n'avoir affection pour rien ;
De toutes amitiés il détache mon âme ;
Et je verrais mourir frère, enfants, mère et femme,
Que je m'en soucierais autant que de cela.

---

[16] Le rôle de Cléante était une indispensable contre-partie de celui du Tartuffe, un contre-poids ; Cléante nous figure l'honnête homme de la pièce, le représentant de la morale des honnêtes gens dans la perfection, de la morale du juste milieu. Pascal, dans ses premières Lettres, s'était mis, par supposition, en dehors des molinistes et des jansénistes, simple homme du monde et curieux qui se veut instruire. Cléante de même, mais plus à distance, se tient en dehors des dévots ; il se contente d'approuver les vrais, il les honore ; il flétrit les faux. La supposition de l'honnête indifférent d'après Pascal s'est élargie et à Cléante nous rend l'homme du monde comme Louis XIV le voulait dès ce temps-là. Il a un fond de religion, ce qu'il en faut. *Pas trop n'en faut*, comme dit la chanson.

(Sainte-Beuve.)

Cléante

Les sentiments humains, mon frère, que voilà !

Orgon

Ah ! si vous aviez vu comme j'en fis rencontre,
Vous auriez pris pour lui l'amitié que je montre.
Chaque jour à l'église il venait, d'un air doux,
Tout vis-à-vis de moi se mettre à deux genoux.
Il attirait les yeux de l'assemblée entière
Par l'ardeur dont au ciel il poussait sa prière ;
Il faisait des soupirs, de grands élancements,
Et baisait humblement la terre à tous moments :
Et, lorsque je sortais, il me devançait vite
Pour m'aller, à la porte, offrir de l'eau bénite.
Instruit par son garçon, qui dans tout l'imitait,
Et de son indigence, et de ce qu'il était,
Je lui faisais des dons ; mais, avec modestie,
Il me voulait toujours en rendre une partie.
C'est trop, me disait-il, c'est trop de la moitié.
Je ne mérite pas de vous faire pitié.
Et, quand je refusais de le vouloir reprendre,
Aux pauvres, à mes yeux, il allait le répandre.
Enfin le ciel chez moi me le fit retirer,
Et depuis ce temps-là tout semble y prospérer.
Je vois qu'il reprend tout, et qu'à ma femme même
Il prend, pour mon honneur, un intérêt extrême ;
Il m'avertit des gens qui lui font les yeux doux,
Et plus que moi six fois il s'en montre jaloux.
Mais vous ne croiriez point jusqu'où monte son zèle :
Il s'impute à péché la moindre bagatelle ;
Un rien presque suffit pour le scandaliser,
Jusque-là qu'il se vint l'autre jour accuser
D'avoir pris une puce en faisant sa prière,
Et de l'avoir tuée avec trop de colère.

Cléante

Parbleu, vous êtes fou, mon frère, que je croi.
Avec de tels discours, vous moquez-vous de moi ?
Et que prétendez-vous ? Que tout ce badinage…

Orgon

Mon frère, ce discours sent le libertinage :
Vous en êtes un peu dans votre âme entiché ;

Et, comme je vous l'ai plus de dix fois prêché,
Vous vous attirerez quelque méchante affaire.

Cléante

Voilà de vos pareils le discours ordinaire :
Ils veulent que chacun soit aveugle comme eux.
C'est être libertin[17] que d'avoir de bons yeux ;
Et qui n'adore pas de vaines simagrées,
N'a ni respect ni foi pour les choses sacrées.
Allez, tous vos discours ne me font point de peur ;
Je sais comme je parle, et le ciel voit mon cœur.
De tous vos façonniers on n'est point les esclaves.
Il est de faux dévots ainsi que de faux braves :
Et, comme on ne voit pas qu'où l'honneur les conduit
Les vrais braves soient ceux qui font beaucoup de bruit,
Les bons et vrais dévots, qu'on doit suivre à la trace,
Ne sont pas ceux aussi qui font tant de grimace.
Hé quoi ! vous ne ferez nulle distinction
Entre l'hypocrisie et la dévotion ?
Vous les voulez traiter d'un semblable langage,
Et rendre même honneur au masque qu'au visage ;
Égaler l'artifice à la sincérité,
Confondre l'apparence avec la vérité,
Estimer le fantôme autant que la personne,
Et la fausse monnaie à l'égal de la bonne ?
Les hommes, la plupart, sont étrangement faits ;
Dans la juste nature on ne les voit jamais :
La raison a pour eux des bornes trop petites ;
En chaque caractère ils passent ses limites,
Et la plus noble chose, ils la gâtent souvent
Pour la vouloir outrer et pousser trop avant.
Que cela vous soit dit en passant, mon beau-frère.

Orgon

Oui, vous êtes, sans doute, un docteur qu'on révère,
Tout le savoir du monde est chez vous retiré ;

---

[17] *Libertin*, aujourd'hui restreint à la débauche des femmes, signifiait dans l'origine un esprit fort, un libre penseur ; on le disait aussi des personnes indépendantes par caractère, et ennemies de la contrainte.

(F. Génin.)

Vous êtes le seul sage et le seul éclairé,
Un oracle, un Caton, dans le siècle où nous sommes ;
Et près de vous ce sont des sots que tous les hommes.

Cléante

Je ne suis point, mon frère, un docteur révéré,
Et le savoir chez moi n'est pas tout retiré.
Mais, en un mot, je sais, pour toute ma science,
Du faux avec le vrai faire la différence.
Et comme je ne vois nul genre de héros
Qui soient plus à priser que les parfaits dévots,
Aucune chose au monde et plus noble, et plus belle,
Que la sainte ferveur d'un véritable zèle ;
Aussi ne vois-je rien qui soit plus odieux
Que le dehors plâtré d'un zèle spécieux,
Que ces francs charlatans, que ces dévots de place[18],
De qui la sacrilège et trompeuse grimace
Abuse impunément, et se joue, à leur gré,
De ce qu'ont les mortels de plus saint et sacré ;
Ces gens qui, par une âme à l'intérêt soumise,
Font de dévotion métier et marchandise,
Et veulent acheter crédit et dignités
À prix de faux clins d'yeux et d'élans affectés ;
Ces gens, dis-je, qu'on voit, d'une ardeur non commune,
Par le chemin du ciel courir à leur fortune ;
Qui, brûlants et priants, demandent chaque jour,
Et prêchent la retraite au milieu de la cour ;
Qui savent ajuster leur zèle avec leurs vices,
Sont prompts, vindicatifs, sans foi, pleins d'artifices,
Et, pour perdre quelqu'un, couvrent insolemment
De l'intérêt du ciel leur fier ressentiment ;
D'autant plus dangereux dans leur âpre colère,
Qu'ils prennent contre nous des armes qu'on révère,
Et que leur passion, dont on leur sait bon gré,
Veut nous assassiner avec un fer sacré :
De ce faux caractère on en voit trop paraître.
Mais les dévots de cœur sont aisés à connaître.

---

[18] Au moyen âge et dans le dix-septième siècle encore, les domestiques allaient sur les places publiques attendre qu'on vînt engager leurs services. Les dévots de place, comme les valets de place, sont donc ceux qui s'affichent à tous les regards.

Notre siècle, mon frère, en expose à nos yeux
Qui peuvent nous servir d'exemples glorieux.
Regardez Ariston, regardez Périandre,
Oronte, Alcidamas, Polydore, Clitandre ;
Ce titre par aucun ne leur est débattu ;
Ce ne sont point du tout fanfarons de vertu,
On ne voit point en eux ce faste insupportable,
Et leur dévotion est humaine, est traitable :
Ils ne censurent point toutes nos actions,
Ils trouvent trop d'orgueil dans ces corrections ;
Et, laissant la fierté des paroles aux autres,
C'est par leurs actions qu'ils reprennent les nôtres.
L'apparence du mal a chez eux peu d'appui,
Et leur âme est portée à juger bien d'autrui.
Point de cabale en eux, point d'intrigues à suivre ;
On les voit, pour tous soins, se mêler de bien vivre.
Jamais contre un pécheur ils n'ont d'acharnement,
Ils attachent leur haine au péché seulement,
Et ne veulent point prendre avec un zèle extrême
Les intérêts du ciel, plus qu'il ne veut lui-même.
Voilà mes gens, voilà comme il en faut user,
Voilà l'exemple enfin qu'il se faut proposer.
Votre homme, à dire vrai, n'est pas de ce modèle :
C'est de fort bonne foi que vous vantez son zèle ;
Mais par un faux éclat je vous crois ébloui.

Orgon

Monsieur mon cher beau-frère, avez-vous tout dit ?

Cléante

Oui.

Orgon, s'en allant.

Je suis votre valet.

Cléante

De grâce, un mot, mon frère.
Laissons là ce discours. Vous savez que Valère,
Pour être votre gendre, a parole de vous.

Orgon

Oui.

Cléante

Vous aviez pris jour pour un lien si doux.

Orgon

Il est vrai.

Cléante

Pourquoi donc en différer la fête ?

Orgon

Je ne sais.

Cléante

Auriez-vous autre pensée en tête ?

Orgon

Peut-être.
Cléant
Vous voulez manquer à votre foi ?

Orgon

Je ne dis pas cela.

Cléante

Nul obstacle, je crois,
Ne vous peut empêcher d'accomplir vos promesses.

Orgon

Selon.

Cléante

Pour dire un mot faut-il tant de finesses ?
Valère, sur ce point, me fait vous visiter.

Orgon

Le ciel en soit loué !

Cléante

Mais que lui reporter ?

Orgon

Tout ce qu'il vous plaira.

Cléante

Mais il est nécessaire

De savoir vos desseins. Quels sont-ils donc ?

Orgon

De faire
Ce que le ciel voudra.

Cléante

Mais parlons tout de bon.
Valère a votre foi ; la tiendrez-vous, ou non ?

Orgon

Adieu.
Cléante, seul.
Pour son amour je crains une disgrâce,
Et je dois l'avertir de tout ce qui se passe.

Fin du premier acte.

ACTE II

Scène1

Orgon, Mariane.

Orgon

 ariane !

Mariane

Mon père ?

Orgon

Approchez. J'ai de quoi
Vous parler en secret.

Mariane, à Orgon, qui regarde dans un petit cabinet.

Que cherchez-vous ?

Orgon

Je vois
Si quelqu'un n'est point là qui pourrait nous entendre,
Car ce petit endroit est propre pour surprendre.
Or sus, nous voilà bien. J'ai, Mariane, en vous
Reconnu de tout temps un esprit assez doux,
Et de tout temps aussi vous m'avez été chère.

Mariane

Je suis fort redevable à cet amour de père.

Orgon

C'est fort bien dit, ma fille ; et, pour le mériter,
Vous devez n'avoir soin que de me contenter.

Mariane

C'est où je mets aussi ma gloire la plus haute.

Orgon

Fort bien. Que dites-vous de Tartuffe notre hôte ?

Mariane

Qui, moi ?

Orgon

Vous. Voyez bien comme vous répondrez.

Mariane

Hélas ! j'en dirai, moi, tout ce que vous voudrez.

Scène 2

Orgon, Mariane, Dorine, entrant doucement et se tenant derrière Orgon, sans être vue.

Orgon

C'est parler sagement… Dites-moi donc, ma fille,
Qu'en toute sa personne un haut mérite brille,
Qu'il touche votre cœur, et qu'il vous serait doux
De le voir par mon choix devenir votre époux.
Hé ?

(Mariane se recule avec surprise.)

Mariane

Hé ?

Orgon

Qu'est-ce ?

Mariane

Plaît-il ?

Orgon

Quoi ?

Mariane

Me suis-je méprise ?

Orgon

Comment ?

Mariane

Qui voulez-vous, mon père, que je dise
Qui me touche le cœur, et qu'il me serait doux
De voir, par votre choix, devenir mon époux ?

Orgon

Tartuffe.

Mariane

Il n'en est rien, mon père, je vous jure.
Pourquoi me faire dire une telle imposture ?

Orgon

Mais je veux que cela soit une vérité ;
Et c'est assez pour vous que je l'aie arrêté.

Mariane

Quoi ! vous voulez, mon père ?…

Orgon

Oui, je prétends, ma fille,
Unir, par votre hymen, Tartuffe à ma famille.
Il sera votre époux, j'ai résolu cela ;

(Apercevant Dorine.)

Et comme sur vos vœux je... Que faites-vous là ?
La curiosité qui vous presse est bien forte,
Ma mie, à nous venir écouter de la sorte.

Dorine

Vraiment, je ne sais pas si c'est un bruit qui part
De quelque conjecture ou d'un coup de hasard ;
Mais de ce mariage on m'a dit la nouvelle,
Et j'ai traité cela de pure bagatelle.

Orgon

Quoi donc ! la chose est-elle incroyable ?

Dorine

À tel point
Que vous-même, monsieur, je ne vous en crois point.

Orgon

Je sais bien le moyen de vous le faire croire.

Dorine

Oui ! oui ! vous nous contez une plaisante histoire !

Orgon

Je conte justement ce qu'on verra dans peu.

Dorine

Chansons !

Orgon

Ce que je dis, ma fille, n'est point jeu.

Dorine

Allez, ne croyez point à monsieur votre père ;
Il raille.

Orgon

Je vous dis...

Dorine

Non, vous avez beau faire,
On ne vous croira point.

Orgon

À la fin, mon courroux…

Dorine

Hé bien ! on vous croit donc ; et c'est tant pis pour vous.
Quoi ! se peut-il, monsieur, qu'avec l'air d'homme sage,
Et cette large barbe au milieu du visage,
Vous soyez assez fou pour vouloir… ?

Orgon

Écoutez :
Vous avez pris céans certaines privautés
Qui ne me plaisent point ; je vous le dis, ma mie.

Dorine

Parlons sans nous fâcher, monsieur, je vous supplie.
Vous moquez-vous des gens d'avoir fait ce complot ?
Votre fille n'est point l'affaire d'un bigot :
Il a d'autres emplois auxquels il faut qu'il pense.
Et puis, que vous apporte une telle alliance ?
À quel sujet aller, avec tout votre bien,
Choisir un gendre gueux ?…

Orgon

Taisez-vous. S'il n'a rien,
Sachez que c'est par là qu'il faut qu'on le révère.
Sa misère est sans doute une honnête misère ;
Au-dessus des grandeurs elle doit l'élever,
Puisque enfin de son bien il s'est laissé priver
Par son trop peu de soin des choses temporelles,
Et sa puissante attache aux choses éternelles.
Mais mon secours pourra lui donner les moyens
De sortir d'embarras, et rentrer dans ses biens :
Ce sont fiefs qu'à bon titre au pays on renomme ;
Et, tel que l'on le voit, il est bien gentilhomme.

Dorine

Oui, c'est lui qui le dit ; et cette vanité,
Monsieur, ne sied pas bien avec la piété.
Qui d'une sainte vie embrasse l'innocence
Ne doit point tant prôner son nom et sa naissance,
Et l'humble procédé de la dévotion
Souffre mal les éclats de cette ambition.

À quoi bon cet orgueil ?... Mais ce discours vous blesse :
Parlons de sa personne, et laissons sa noblesse.
Ferez-vous possesseur, sans quelque peu d'ennui,
D'une fille comme elle un homme comme lui ?
Et ne devez-vous pas songer aux bienséances,
Et de cette union prévoir les conséquences ?
Sachez que d'une fille on risque la vertu,
Lorsque dans son hymen son goût est combattu ;
Que le dessein d'y vivre en honnête personne
Dépend des qualités du mari qu'on lui donne,
Et que ceux dont partout on montre au doigt le front,
Font leurs femmes souvent ce qu'on voit qu'elles sont.
Il est bien difficile enfin d'être fidèle
À de certains maris faits d'un certain modèle ;
Et qui donne à sa fille un homme qu'elle hait,
Est responsable au ciel des fautes qu'elle fait.
Songez à quels périls votre dessein vous livre.

Orgon

Je vous dis qu'il me faut apprendre d'elle à vivre !

Dorine

Vous n'en feriez que mieux de suivre mes leçons.

Orgon

Ne nous amusons point, ma fille, à ces chansons ;
Je sais ce qu'il vous faut, et je suis votre père.
J'avais donné pour vous ma parole à Valère :
Mais, outre qu'à jouer on dit qu'il est enclin,
Je le soupçonne encor d'être un peu libertin ;
Je ne remarque point qu'il hante les églises.

Dorine

Voulez-vous qu'il y coure à vos heures précises,
Comme ceux qui n'y vont que pour être aperçus ?

Orgon

Je ne demande pas votre avis là-dessus.
Enfin, avec le ciel l'autre est le mieux du monde,
Et c'est une richesse à nulle autre seconde.
Cet hymen de tous biens comblera vos désirs,
Il sera tout confit en douceurs et plaisirs.
Ensemble vous vivrez, dans vos ardeurs fidèles,
Comme deux vrais enfants, comme deux tourterelles :

À nul fâcheux débat jamais vous n'en viendrez ;
Et vous ferez de lui tout ce que vous voudrez.

Dorine

Elle ? elle n'en fera qu'un sot, je vous assure[19].

Orgon

Ouais ! quels discours !

Dorine

Je dis qu'il en a l'encolure
Et que son ascendant, monsieur, l'emportera
Sur toute la vertu que votre fille aura.

Orgon

Cessez de m'interrompre, et songez à vous taire,
Sans mettre votre nez où vous n'avez que faire.
Dorine, elle l'interrompt toujours au moment où il se retourne
pour parler à sa fille.
Je n'en parle, monsieur, que pour votre intérêt.

Orgon

C'est prendre trop de soin ; taisez-vous, s'il vous plaît.

Dorine

Si l'on ne vous aimait…

Orgon

Je ne veux pas qu'on m'aime.

Dorine

Et je veux vous aimer, monsieur, malgré vous-même.

Orgon

Ah !

Dorine

Votre honneur m'est cher, et je ne puis souffrir

---

[19] Un mari qui se laisse tromper et gouverner par sa femme est réputé partout de
cornes, cornu, cornard ; c'est par cette raison que cocu, cornard et sot sont
synonymes.

(Voltaire)

Qu'aux brocards d'un chacun vous alliez vous offrir.

Orgon

Vous ne vous tairez point ?

Dorine

C'est une conscience[20],
Que de vous laisser faire une telle alliance.

Orgon

Te tairas-tu, serpent, dont les traits effrontés… ?

Dorine

Ah ! vous êtes dévot, et vous vous emportez ?

Orgon

Oui, ma bile s'échauffe à toutes ces fadaises,
Et tout résolument je veux que tu te taises.

Dorine

Soit. Mais, ne disant mot, je n'en pense pas moins.

Orgon

Pense, si tu le veux ; mais applique tes soins.

(Se retournant vers sa fille.)

À ne m'en point parler, ou… Suffit. Comme sage,
J'ai pesé mûrement toutes choses.
Dorine, à part.
J'enrage
De ne pouvoir parler.

Orgon

Sans être damoiseau,
Tartuffe est fait de sorte…

Dorine

Oui, c'est un beau museau !

Orgon

Que, quand tu n'aurais même aucune sympathie
Pour tous les autres dons…

----

[20] Pour : *c'est un cas de conscience*.

Dorine, à part.

La voilà bien lotie !

(Orgon se retourne du côté de Dorine, et, les bras croisés, l'écoute et la regarde en face.)

Si j'étais en sa place, un homme assurément
Ne m'épouserait pas de force impunément ;
Et je lui ferais voir, bientôt après la fête,
Qu'une femme a toujours une vengeance prête.

Orgon, à Dorine.

Donc de ce que je dis on ne fera nul cas ?

Dorine

De quoi vous plaignez-vous ? Je ne vous parle pas.

Orgon

Qu'est-ce que tu fais donc ?

Dorine

Je me parle à moi-même.

Orgon, à part.

Fort bien. Pour châtier son insolence extrême,
Il faut que je lui donne un revers de ma main.

(Il se met en posture de donner un soufflet à Dorine, et, à chaque mot qu'il dit à sa fille, il se tourne pour regarder Dorine, qui se tient droite sans parler.)

Ma fille, vous devez approuver mon dessein…
Croire que le mari… que j'ai su vous élire…

(À Dorine)

Que ne te parles-tu ?

Dorine

Je n'ai rien à me dire.

Orgon

Encore un petit mot.

Dorine

Il ne me plaît pas, moi.

Orgon

Certes, je t'y guettais.

Dorine

Quelque sotte, ma foi !…

Orgon

Enfin, ma fille, il faut payer d'obéissance ;
Et montrer pour mon choix entière déférence.

Dorine, en s'enfuyant.

Je me moquerais fort de prendre un tel époux[21].

Orgon, après avoir manqué de donner un souffler à Dorine.

Vous avez là, ma fille, une peste avec vous,
Avec qui, sans péché, je ne saurais plus vivre.
Je me sens hors d'état maintenant de poursuivre ;
Ses discours insolents m'ont mis l'esprit en feu,
Et je vais prendre l'air pour me rasseoir un peu.

Scène3

Dorine, Mariane.

Dorine

Avez-vous donc perdu, dites-moi, la parole ?
Et faut-il qu'en ceci je fasse votre rôle ?
Souffrir qu'on vous propose un projet insensé,
Sans que du moindre mot vous l'ayez repoussé !

---

[21] Ce vers est à la fois clair et précis ; il ne renferme ni faute de français ni contre-sens, comme l'ont avancé d'habiles commentateurs : Dorine continue d'exprimer ici la pensée qu'elle exprimait tout à l'heure ; c'est comme si elle disait : Il m'importerait peu, je me moquerais fort de prendre un tel époux car

……………………un homme assurément Ne m'épouserait pas de force impunément ; Et je lui ferais voir, bientôt après la fête, Qu'une femme à toujours une vengeance prête.

(Aimé Martin.)

Mariane

Contre un père absolu que veux-tu que je fasse ?

Dorine

Ce qu'il faut pour parer une telle menace.

Mariane

Quoi ?

Dorine

Lui dire qu'un cœur n'aime point par autrui ;
Que vous vous mariez pour vous, non pas pour lui ;
Qu'étant celle pour qui se fait toute l'affaire,
C'est à vous, non à lui, que le mari doit plaire,
Et que, si son Tartuffe est pour lui si charmant,
Il le peut épouser sans nul empêchement.

Mariane

Un père, je l'avoue, a sur nous tant d'empire,
Que je n'ai jamais eu la force de rien dire.

Dorine

Mais raisonnons. Valère a fait pour vous des pas :
L'aimez-vous, je vous prie, ou ne l'aimez-vous pas ?

Mariane

Ah ! qu'envers mon amour ton injustice est grande,
Dorine ! me dois-tu faire cette demande ?
T'ai-je pas là-dessus ouvert cent fois mon cœur ?
Et sais-tu pas pour lui jusqu'où va mon ardeur ?

Dorine

Que sais-je si le cœur a parlé par la bouche,
Et si c'est tout de bon que cet amant vous touche ?

Mariane

Tu me fais un grand tort, Dorine, d'en douter ;
Et mes vrais sentiments ont su trop éclater.

Dorine

Enfin, vous l'aimez donc ?

Mariane

Oui, d'une ardeur extrême.

Dorine

Et, selon l'apparence, il vous aime de même ?

Mariane

Je le crois.

Dorine

Et tous deux brûlez également
De vous voir mariés ensemble ?

Mariane

Assurément.

Dorine

Sur cette autre union quelle est donc votre attente ?

Mariane

De me donner la mort, si l'on me violente.

Dorine

Fort bien. C'est un recours où je ne songeais pas ;
Vous n'avez qu'à mourir pour sortir d'embarras.
Le remède, sans doute est merveilleux. J'enrage,
Lorsque j'entends tenir ces sortes de langage.

Mariane

Mon Dieu ! de quelle humeur, Dorine, tu te rends !
Tu ne compatis point aux déplaisirs des gens.

Dorine

Je ne compatis point à qui dit des sornettes,
Et dans l'occasion mollit comme vous faites.

Mariane

Mais que veux-tu ? si j'ai de la timidité…

Dorine

Mais l'amour dans un cœur veut de la fermeté.

Mariane

Mais n'en gardé-je pas pour les feux de Valère ?
Et n'est-ce pas à lui de m'obtenir d'un père ?

Dorine

Mais quoi ! si votre père est un bourru fieffé,

Qui s'est de son Tartuffe entièrement coiffé
Et manque à l'union qu'il avait arrêtée,
La faute à votre amant doit-elle être imputée ?

Mariane

Mais, par un haut refus, et d'éclatants mépris,
Ferai-je, dans mon choix, voir un cœur trop épris ?
Sortirai-je pour lui, quelque éclat dont il brille,
De la pudeur du sexe et du devoir de fille ?
Et veux-tu que mes feux par le monde étalés… ?

Dorine

Non, non, je ne veux rien. Je vois que vous voulez
Être à Monsieur Tartuffe, et j'aurais, quand j'y pense,
Tort de vous détourner d'une telle alliance.
Quelle raison aurais-je à combattre vos vœux ?
Le parti de soi-même est fort avantageux.
Monsieur Tartuffe ! oh ! oh ! n'est-ce rien qu'on propose ?
Certes, monsieur Tartuffe, à bien prendre la chose,
N'est pas un homme, non, qui se mouche du pied ;
Et ce n'est pas peu d'heur que d'être sa moitié,
Tout le monde déjà de gloire le couronne ;
Il est noble chez lui, bien fait de sa personne ;
Il a l'oreille rouge et le teint bien fleuri :
Vous vivrez trop contente avec un tel mari.

Mariane

Mon Dieu !…

Dorine

Quelle allégresse aurez-vous dans votre âme,
Quand d'un époux si beau vous vous verrez la femme !

Mariane

Ah ! cesse, je te prie, un semblable discours ;
Et contre cet hymen ouvre-moi du secours.
C'en est fait, je me rends, et suis prête à tout faire.

Dorine

Non, il faut qu'une fille obéisse à son père,
Voulût-il lui donner un singe pour époux.
Votre sort est fort beau : de quoi vous plaignez-vous ?
Vous irez par le coche en sa petite ville,
Qu'en oncles et cousins vous trouverez fertile,

Et vous vous plairez fort à les entretenir.
D'abord chez le beau monde on vous fera venir.
Vous irez visiter, pour votre bienvenue,
Madame la baillive et madame l'élue,
Qui d'un siège pliant vous feront honorer.
Là, dans le carnaval, vous pourrez espérer
Le bal et la grand'bande, assavoir[22], deux musettes,
Et parfois Fagotin[23], et les marionnettes ;
Si pourtant votre époux…

Mariane

Ah ! tu me fais mourir !
De tes conseils plutôt songe à me secourir.

Dorine

Je suis votre servante.

Mariane

Hé ! Dorine, de grâce…

Dorine

Il faut, pour vous punir, que cette affaire passe.

Mariane

Ma pauvre fille !

Dorine

Non.

Mariane

Si mes vœux déclarés…

Dorine

Point. Tartuffe est votre homme, et vous en tâterez.

Mariane

Tu sais qu'à toi toujours je me suis confiée :
Fais-moi…

---

[22] Toutes les éditions portent à tort : à savoir ; c'est l'ancien infinitif assavoir.

(F. Génin.)

[23] Singe célèbre par ses tours.

Dorine

Non, vous serez, ma foi, tartufiée.

Mariane

Hé bien ! puisque mon sort ne saurait t'émouvoir,
Laisse-moi désormais toute à mon désespoir :
C'est de lui que mon cœur empruntera de l'aide ;
Et je sais de mes maux l'infaillible remède.

(Elle veut s'en aller.)

Dorine

Hé ! là, là, revenez. Je quitte mon courroux.
Il faut, nonobstant tout, avoir pitié de vous.

Mariane

Vois-tu, si l'on m'expose à ce cruel martyre,
Je te le dis, Dorine, il faudra que j'expire.

Dorine

Ne vous tourmentez point. On peut adroitement
Empêcher... Mais voici Valère, votre amant.

Scène4

Valère, Mariane, Dorine.

Valère

On vient de débiter, madame, une nouvelle
Que je ne savais pas, et qui sans doute est belle.

Mariane

Quoi ?

Valère

Que vous épousez Tartuffe.

Mariane

Il est certain
Que mon père s'est mis en tête ce dessein.

Valère

Votre père, madame...

Mariane

A changé de visée :
La chose vient par lui de m'être proposée.

Valère

Quoi ! sérieusement ?

Mariane

Oui, sérieusement.
Il s'est pour cet hymen déclaré hautement.

Valère

Et quel est le dessein où votre âme s'arrête.
Madame ?

Mariane

Je ne sais.

Valère

La réponse est honnête.
Vous ne savez ?

Mariane

Non.

Valère

Non ?

Mariane

Que me conseillez-vous ?

Valère

Je vous conseille, moi, de prendre cet époux.

Mariane

Vous me le conseillez ?

Valère

Oui.

Mariane

Tout de bon ?

Valère

Sans doute.

Le choix est glorieux et vaut bien qu'on l'écoute.

Mariane

Hé bien ! c'est un conseil, monsieur, que je reçois.

Valère

Vous n'aurez pas grand-peine à le suivre, je crois.

Mariane

Pas plus qu'à le donner en a souffert votre âme.

Valère

Moi, je vous l'ai donné pour vous plaire, madame.

Mariane

Et moi, je le suivrai pour vous faire plaisir.
Dorine, se retirant dans le fond du théâtre.
Voyons ce qui pourra de ceci réussir.

Valère

C'est donc ainsi qu'on aime ? Et c'était tromperie,
Quand vous…

Mariane

Ne parlons point de cela, je vous prie.
Vous m'avez dit tout franc que je dois accepter
Celui que pour époux on me veut présenter,
Et je déclare, moi, que je prétends le faire,
Puisque vous m'en donnez le conseil salutaire.

Valère

Ne vous excusez point sur mes intentions.
Vous aviez pris déjà vos résolutions ;
Et vous vous saisissez d'un prétexte frivole
Pour vous autoriser à manquer de parole.

Mariane

Il est vrai, c'est bien dit.

Valère

Sans doute ; et votre cœur
N'a jamais eu pour moi de véritable ardeur.

Mariane

Hélas ! permis à vous d'avoir cette pensée.

Valère

Oui, oui, permis à moi : mais mon âme offensée
Vous préviendra peut-être en un pareil dessein ;
Et je sais où porter et mes vœux et ma main.

Mariane

Ah ! je n'en doute point ; et les ardeurs qu'excite
Le mérite...

Valère

Mon Dieu ! laissons là le mérite.
J'en ai fort peu, sans doute, et vous en faites foi.
Mais j'espère aux bontés qu'une autre aura pour moi :
Et j'en sais de qui l'âme, à ma retraite ouverte,
Consentira sans honte à réparer ma perte.

Mariane

La perte n'est pas grande, et de ce changement
Vous vous consolerez assez facilement.

Valère

J'y ferai mon possible, et vous le pouvez croire.
Un cœur qui nous oublie engage notre gloire ;
Il faut à l'oublier mettre aussi tous nos soins ;
Si l'on n'en vient à bout, on le doit feindre au moins.
Et cette lâcheté jamais ne se pardonne,
De montrer de l'amour pour qui nous abandonne.

Mariane

Ce sentiment sans doute est noble et relevé.

Valère

Fort bien ; et d'un chacun il doit être approuvé.
Hé quoi ! vous voudriez qu'à jamais dans mon âme
Je gardasse pour vous les ardeurs de ma flamme,
Et vous visse, à mes yeux, passer en d'autres bras,
Sans mettre ailleurs un cœur dont vous ne voulez pas ?

Mariane

Au contraire ; pour moi, c'est ce que je souhaite ;
Et je voudrais déjà que la chose fût faite.

Valère

Vous le voudriez ?

Mariane

Oui.

Valère

C'est assez m'insulter,
Madame ; et, de ce pas je vais vous contenter.

(Il fait un pas pour s'en aller.)

Mariane

Fort bien.

Valère, revenant.

Souvenez-vous au moins que c'est vous-même
Qui contraignez mon cœur à cet effort extrême.

Mariane

Oui.

Valère, revenant encore.

Et que le dessein que mon âme conçoit
N'est rien qu'à votre exemple.

Mariane

À mon exemple, soit.

Valère, en sortant.

Suffit : vous allez être à point nommé servie.

Mariane

Tant mieux.

Valère, revenant encore.

Vous me voyez, c'est pour toute ma vie.

Mariane

À la bonne heure !

Valère, s'en va, et, lorsqu'il est vers la porte, il se retourne.

Hé ?

Mariane

Quoi ?

Valère

Ne m'appelez-vous pas ?

Mariane

Moi ? Vous rêvez.

Valère

Hé bien, je poursuis donc mes pas.
Adieu, madame.

(Il s'en va lentement.)

Mariane

Adieu, monsieur.

Dorine, à Mariane.

Pour moi, je pense
Que vous perdez l'esprit par cette extravagance :
Et je vous ai laissé tout du long quereller,
Pour voir où tout cela pourrait enfin aller.
Holà ! seigneur Valère.

(Elle arrête Valère par le bras.)

Valère, feignant de résister.

Hé ! que veux-tu, Dorine ?

Dorine

Venez ici.

Valère

Non, non, le dépit me domine.
Ne me détourne point de ce qu'elle a voulu.

Dorine

Arrêtez.

Valère

Non, vois-tu, c'est un point résolu.

Dorine

Ah !

Mariane, à part.

Il souffre à me voir, ma présence le chasse,
Et je ferai bien mieux de lui quitter la place.

Dorine, quittant Valère et courant à Mariane.

À l'autre ! Où courez-vous ?

Mariane

Laisse.

Dorine

Il faut revenir.

Mariane

Non, non, Dorine ; en vain tu veux me retenir.

Valère, à part

Je vois bien que ma vue est pour elle un supplice ;
Et, sans doute, il vaut mieux que je l'en affranchisse.

Dorine, quittant Mariane et courant à Valère.

Encor ? Diantre soit fait de vous ! Si, je le veux.
Cessez ce badinage ; et venez çà tous deux.

(Elle prend Valère et Mariane par la main, et les ramène.)

Valère, à Dorine.

Mais quel est ton dessein ?

Mariane, à Dorine.

Qu'est-ce que tu veux faire ?

Dorine

Vous bien remettre ensemble, et vous tirer d'affaire.

(À Valère.)

Êtes-vous fou d'avoir un pareil démêlé ?

Valère

N'as-tu pas entendu comme elle m'a parlé ?

Dorine

Êtes-vous folle, vous, de vous être emportée ?

Mariane

N'as-tu pas vu la chose, et comme il m'a traitée ?

Dorine, à Valère.

Sottise des deux parts. Elle n'a d'autre soin
Que de se conserver à vous, j'en suis témoin.

À Mariane.

Il n'aime que vous seule, et n'a point d'autre envie
Que d'être votre époux ; j'en réponds sur ma vie.

Mariane, à Valère.

Pourquoi donc me donner un semblable conseil ?

Valère, à Mariane.

Pourquoi m'en demander sur un sujet pareil ?

Dorine

Vous êtes fous tous deux. Çà, la main l'un et l'autre.

(À Valère)

Allons, vous.

Valère, en donnant sa main à Dorine.

À quoi bon ma main ?

Dorine, à Mariane.

Ah çà ! la vôtre.

Mariane, en donnant aussi sa main.

De quoi sert tout cela ?

Dorine

Mon Dieu ! vite, avancez.
Vous vous aimez tous deux plus que vous ne pensez[24].

(Valère et Mariane se tiennent quelque temps par la main sans se regarder.)

Valère, se tournant vers Mariane.

Mais ne faites donc point les choses avec peine ;
Et regardez un peu les gens sans nulle haine.

---

[24] L'auteur de la lettre sur la comédie de l'Imposteur remarque judicieusement « que ce dépit a cela de particulier et d'original, qu'il naît et finit dans une même scène, et cela aussi vraisemblablement que faisaient ceux qu'on avait vus auparavant, où ces colères amoureuses naissent de quelques tromperies faites par un tiers, la plupart du temps derrière le théâtre ; au lieu qu'ici elles naissent divinement, à la vue des spectateurs, et de la délicatesse et de la force de la passion même. »

(Mariane se tourne du coté de Valère en lui souriant.)

Dorine

À vous dire le vrai, les amants sont bien fous !

Valère, à Mariane.

Oh çà ! n'ai-je pas lieu de me plaindre de vous ?
Et, pour n'en point mentir, n'êtes vous pas méchante
De vous plaire à me dire une chose affligeante ?

Mariane

Mais vous, n'êtes-vous pas l'homme le plus ingrat…

Dorine

Pour une autre saison laissons tout ce débat,
Et songeons à parer ce fâcheux mariage.

Mariane

Dis-nous donc quels ressorts il faut mettre en usage.

Dorine

Nous en ferons agir de toutes les façons.

(À Mariane.)

Votre père se moque,

(À Valère.)

et ce sont des chansons.

(À Mariane.)

Mais, pour vous, il vaut mieux qu'à son extravagance
D'un doux consentement vous prêtiez l'apparence,
Afin qu'en cas d'alarme il vous soit plus aisé
De tirer en longueur cet hymen proposé.
En attrapant du temps, à tout on remédie.
Tantôt vous payerez de quelque maladie
Qui viendra tout à coup, et voudra des délais ;
Tantôt vous payerez de présages mauvais ;
Vous aurez fait d'un mort la rencontre fâcheuse,
Cassé quelque miroir, ou songé d'eau bourbeuse :
Enfin, le bon de tout, c'est qu'à d'autres qu'à lui
On ne vous peut lier que vous ne disiez oui.
Mais, pour mieux réussir, il est bon, ce me semble,
Qu'on ne vous trouve point tous deux parlant ensemble.

(À Valère.)

Sortez ; et, sans tarder, employez vos amis,
Pour vous faire tenir ce qu'on vous a promis.
Nous allons réveiller les efforts de son frère,
Et dans notre parti jeter la belle-mère.
Adieu.

Valère, à Mariane

Quelques efforts que nous préparions tous,
Ma plus grande espérance, à vrai dire, est en vous.

Mariane, à Valère

Je ne vous réponds pas des volontés d'un père ;
Mais je ne serai point à d'autre qu'à Valère.

Valère

Que vous me comblez d'aise ! et, quoi que puisse oser...

Dorine

Ah ! jamais les amants ne sont las de jaser.
Sortez, vous dis-je.

Valère, il fait un pas et revient.

Enfin...

Dorine

Quel caquet est le vôtre !
Tirez de cette part, et vous, tirez de l'autre.

(Dorine les pousse chacun par l'épaule, et les oblige de se séparer.)

DORINE

Tirez de cette part, et vous, tirez de l'autre.

Fin du second acte.

ACTE III

Scène 1

Damis, Dorine.

Damis

 ue la foudre sur l'heure achève mes destins,
Qu'on me traite partout du plus grand des faquins,

S'il est aucun respect ni pouvoir qui m'arrête,
Et si je ne fais pas quelque coup de ma tête !

Dorine

De grâce, modérez un tel emportement :
Votre père n'a fait qu'en parler simplement.
On n'exécute pas tout ce qui se propose ;
Et le chemin est long du projet à la chose.

Damis

Il faut que de ce fat j'arrête les complots,
Et qu'à l'oreille un peu je lui dise deux mots.

Dorine

Ah ! tout doux ! envers lui, comme envers votre père,
Laissez agir les soins de votre belle-mère.
Sur l'esprit de Tartuffe elle a quelque crédit,
Il se rend complaisant à tout ce qu'elle dit,
Et pourrait bien avoir douceur de cœur pour elle.
Plût à Dieu qu'il fût vrai ! la chose serait belle[25].
Enfin, votre intérêt l'oblige à le mander :
Sur l'hymen qui vous trouble elle veut le sonder,
Savoir ses sentiments, et lui faire connaître
Quels fâcheux démêlés il pourra faire naître,
S'il faut qu'à ce dessein il prête quelque espoir.
Son valet dit qu'il prie, et je n'ai pu le voir ;
Mais ce valet m'a dit qu'il s'en allait descendre.
Sortez donc, je vous prie, et me laissez l'attendre.

Damis

Je puis être présent à tout cet entretien.

Dorine

Point. Il faut qu'ils soient seuls.

Damis

Je ne lui dirai rien.

Dorine

Vous vous moquez : on sait vos transports ordinaires, ;
Et c'est le vrai moyen de gâter les affaires.
Sortez.

---

[25] Déjà trois fois les spectateurs ont été prévenus des sentiments de Tartuffe pour Elmire : ils le seront encore une quatrième, et la déclaration suivra aussitôt. Molière avait besoin d'avertir le public d'une scène aussi extraordinaire ; et c'est en lui promettant longtemps d'avance un plaisir, celui de surprendre les secrets de l'hypocrite, qu'il prépare cette scène, et qu'il en établit la vraisemblance.

(Aimé Martin.)

Damis

Non ; je veux voir, sans me mettre en courroux.

Dorine

Que vous êtes fâcheux ! Il vient. Retirez-vous.
Damis va se cacher dans un cabinet qui est au fond du théâtre.

Scène 2

Tartuffe, Laurent, Dorine.

Tartuffe, parlant bas à son valet, qui est dans la maison, dès qu'il aperçoit Dorine[26].

Laurent, serrez ma haire avec ma discipline,
Et priez que toujours le ciel vous illumine.
Si l'on vient pour me voir, je vais aux prisonniers
Des aumônes que j'ai, partager les deniers.

Dorine, à part.

Que d'affectation et de forfanterie !

Tartuffe

Que voulez-vous ?

---

[26] On a souvent demandé pourquoi Molière avait retardé l'entrée de son hypocrite jusqu'au troisième acte. Le secret de cette intention se trouve dans la *Lettre sur l'Imposteur* : « C'est peut-être, y est il dit, une adresse de l'auteur de ne l'avoir pas fait voir plus tôt, mais seulement quand l'action est échauffée ; car un caractère de cette force tomberait, s'il paraissait sans faire d'abord un jeu digne de lui. » (Aimé Martin.) — La Bruyère, dans le portrait d'*Onuphre*, qui est comme on sait, le pendant de Tartuffe, semble avoir blâmé indirectement cette entrée en scène dans ces lignes : « Il (Onuphre) ne dit point *ma haire* et *ma discipline* ; au contraire. Il passerait pour ce qu'il est, pour un hypocrite, et il veut passer pour ce qu'il n'est pas, pour un homme dévot. » Voici ce que M. Sainte-Beuve a répondu à cette critique : « Que La Bruyère dise tout ce qu'il voudra, ce *Laurent, serrez ma haire…*, est le plus admirable début dramatique et comique qui se puisse inventer. De tels traits emportent le reste et déterminent un caractère. Il y a là toute une vocation : celui qui trouve une telle entrée est d'emblée un génie dramatique ; celui qui peut y chercher quelque chose, non pas à critiquer, mais à réétudier à froid, à perfectionner hors de là pour son plaisir, aura tous les mérites qu'on voudra comme moraliste et comme peintre ; mais ce ne sera jamais qu'un peintre à l'*huile*, auteur de portraits à être admirés dans le cabinet.

Dorine

Vous dire…

Tartuffe, tirant un mouchoir de sa poche.

Ah ! mon Dieu ! je vous prie,
Avant que de parler, prenez-moi ce mouchoir.

Dorine

Comment !

Tartuffe

Couvrez ce sein que je ne saurais voir.
Par de pareils objets les âmes sont blessées,
Et cela fait venir de coupables pensées.

Dorine

Vous êtes donc bien tendre à la tentation ;
Et la chair sur vos sens fait grande impression !
Certes je ne sais pas quelle chaleur vous monte :
Mais à convoiter, moi, je ne suis point si prompte :
Et je vous verrais nu du haut jusques en bas,
Que toute votre peau ne me tenterait pas.

Tartuffe

Mettez dans vos discours un peu de modestie,
Ou je vais sur-le-champ vous quitter la partie.

Dorine

Non, non, c'est moi qui vais vous laisser en repos,
Et je n'ai seulement qu'à vous dire deux mots.
Madame va venir dans cette salle basse,
Et d'un mot d'entretien vous demande la grâce.

Tartuffe

Hélas ! très volontiers.

Dorine, à part.

Comme il se radoucit !
Ma foi, je suis toujours pour ce que j'en ai dit.

Tartuffe

Viendra-t-elle bientôt ?

Dorine

Je l'entends, ce me semble.

Oui, c'est elle en personne, et je vous laisse ensemble.

Scène3

Elmire, Tartuffe.

Tartuffe

Que le ciel à jamais, par sa toute-bonté,
Et de l'âme et du corps vous donne la santé,
Et bénisse vos jours autant que le désire
Le plus humble de ceux que son amour inspire !

Elmire

Je suis fort obligée à ce souhait pieux.
Mais prenons une chaise, afin d'être un peu mieux.

Tartuffe, assis.

Comment de votre mal vous sentez-vous remise ?

Elmire, assise.

Fort bien ; et cette fièvre a bientôt quitté prise.

Tartuffe

Mes prières n'ont pas le mérite qu'il faut
Pour avoir attiré cette grâce d'en haut :
Mais je n'ai fait au ciel nulle dévote instance
Qui n'ait eu pour objet votre convalescence.

Elmire

Votre zèle pour moi s'est trop inquiété.

Tartuffe

On ne peut trop chérir votre chère santé ;
Et pour la rétablir, j'aurais donné la mienne.

Elmire

C'est pousser bien avant la charité chrétienne ;
Et je vous dois beaucoup pour toutes ces bontés.

Tartuffe

Je fais bien moins pour vous que vous ne méritez.

Elmire

J'ai voulu vous parler en secret d'une affaire,
Et suis bien aise, ici, qu'aucun ne nous éclaire.

Tartuffe

J'en suis ravi de même ; et sans doute, il m'est doux
Madame, de me voir seul à seul avec vous.
C'est une occasion qu'au ciel j'ai demandée,
Sans que, jusqu'à cette heure, il me l'ait accordée.

Elmire

Pour moi, ce que je veux, c'est un mot d'entretien,
Où tout votre cœur s'ouvre, et ne me cache rien.

Damis, sans se montrer, entr'ouvre la porte du cabinet dans lequel il s'était retiré, pour entendre la conversation.

Tartuffe

Et je ne veux aussi, pour grâce singulière,
Que montrer à vos yeux mon âme tout entière,
Et vous faire serment que les bruits que j'ai faits
Des visites qu'ici reçoivent vos attraits
Ne sont pas envers vous l'effet d'aucune haine,
Mais plutôt d'un transport de zèle qui m'entraîne,
Et d'un pur mouvement…

Elmire

Je le prends bien aussi,
Et crois que mon salut vous donne ce souci.

Tartuffe, prenant la main d'Elmire, et lui serrant les doigts.

Oui, madame, sans doute, et ma ferveur est telle…

Elmire

Ouf ! vous me serrez trop.

Tartuffe

C'est par excès de zèle.
De vous faire autre mal je n'eus jamais dessein,
Et j'aurais bien plutôt…

(Il met la main sur les genoux d'Elmire.)

Elmire

Que fait là votre main ?

Tartuffe

Je tâte votre habit : l'étoffe en est moelleuse.

Elmire

Ah ! de grâce, laissez, je suis fort chatouilleuse.

(Elmire recule son fauteuil, et Tartuffe rapproche d'elle.)

Tartuffe, maniant le fichu d'Elmire.

Mon Dieu ! que de ce point l'ouvrage est merveilleux !
On travaille aujourd'hui d'un air miraculeux :
Jamais, en toute chose, on n'a vu si bien faire[27].

Elmire

Il est vrai. Mais parlons un peu de notre affaire.
On tient que mon mari veut dégager sa foi,
Et vous donner sa fille : Est-il vrai ? dites-moi.

Tartuffe

Il m'en a dit deux mots : mais, madame, à vrai dire,
Ce n'est pas le bonheur après quoi je soupire ;
Et je vois autre part les merveilleux attraits
De la félicité qui fait tous mes souhaits.

Elmire

C'est que vous n'aimez rien des choses de la terre.

Tartuffe

Mon sein n'enferme pas un cœur qui soit de pierre.

Elmire

Pour moi, je crois qu'au ciel tendent tous vos soupirs,
Et que rien ici-bas n'arrête vos désirs.

Tartuffe

L'amour qui nous attache aux beautés éternelles
N'étouffe pas en nous l'amour des temporelles :
Nos sens facilement peuvent être charmés
Des ouvrages parfaits que le ciel a formés.
Ses attraits réfléchis brillent dans vos pareilles ;
Mais il étale en vous ses plus rares merveilles :

---

[27] Panurge, dans Rabelais, agit comme Tartuffe : « Quand il se trouvait en compagnie de quelques bonnes dames, il leur mettait sur le propos de lingerie, et leur mettait la main au sein, demandant : Et cet ouvrage est-il de Flandre ou de Haynault ? »

Il a sur votre face épanché des beautés
Dont les yeux sont surpris, et les cœurs transportés ;
Et je n'ai pu vous voir, parfaite créature,
Sans admirer en vous l'auteur de la nature,
Et d'une ardente amour sentir mon cœur atteint,
Au plus beau des portraits où lui-même il s'est peint.
D'abord j'appréhendai que cette ardeur secrète
Ne fût du noir esprit une surprise adroite,
Et même à fuir vos yeux mon cœur se résolut,
Vous croyant un obstacle à faire mon salut.
Mais enfin je connus, ô beauté tout aimable,
Que cette passion peut n'être point coupable,
Que je puis l'ajuster avec la pudeur,
Et c'est ce qui m'y fait abandonner mon cœur.
Ce m'est, je le confesse, une audace bien grande
Que d'oser de ce cœur vous adresser l'offrande :
Mais j'attends en mes vœux tout de votre bonté,
Et rien des vains efforts de mon infirmité.
En vous est mon espoir, mon bien, ma quiétude ;
De vous dépend ma peine ou ma béatitude ;
Et je vais être enfin, par votre seul arrêt,
Heureux, si vous voulez ; malheureux, s'il vous plaît.

Elmire

La déclaration est tout à fait galante ;
Mais elle est, à vrai dire, un peu bien surprenante.
Vous deviez, ce me semble, armer mieux votre sein,
Et raisonner un peu sur un pareil dessein.
Un dévot comme vous, et que partout on nomme…

Tartuffe

Ah ! pour être dévot, je n'en suis pas moins homme[28] :

---

[28] On a dit que ce vers était une parodie de celui de Sertorius : Et pour être Romain, je n'en suis pas moins homme. C'est une erreur. Molière imite ici un passage du Décaméron de Bocace, ou, pour mieux dire, il ne fait que traduire littéralement les paroles d'un confesseur qui joue auprès de sa pénitente le même rôle que Tartuffe joue auprès d'Elmire : « Vous devez, lui dit-il, vous glorifier des charmes que le ciel vous a donnés, en pensant qu'ils ont pu plaire à un saint. C'est votre beauté irrésistible, c'est l'amour, qui me forcent à en agir ainsi ; et, pour être abbé, je n'en suis pas moins homme : come che io sia abate, io sono uomo come gli altri.

(Bret.)

Et, lorsqu'on vient à voir vos célestes appas,
Un cœur se laisse prendre, et ne raisonne pas.
Je sais qu'un tel discours de moi paraît étrange :
Mais, madame, après tout, je ne suis pas un ange ;
Et, si vous condamnez l'aveu que je vous fais,
Vous devez vous en prendre à vos charmants attraits.
Dès que j'en vis briller la splendeur plus qu'humaine,
De mon intérieur vous fûtes souveraine ;
De vos regards divins l'ineffable douceur
Força la résistance où s'obstinait mon cœur ;
Elle surmonta tout, jeûnes, prières, larmes,
Et tourna tous mes vœux du côté de vos charmes.
Mes yeux et mes soupirs vous l'ont dit mille fois ;
Et pour mieux m'expliquer j'emploie ici la voix.
Que si vous contemplez d'une âme un peu bénigne,
Les tribulations de votre esclave indigne ;
S'il faut que vos bontés veuillent me consoler,
Et jusqu'à mon néant daignent se ravaler,
J'aurai toujours pour vous, ô suave merveille,
Une dévotion à nulle autre pareille.
Votre honneur avec moi ne court point de hasard,
Et n'a nulle disgrâce à craindre de ma part.
Tous ces galants de cour, dont les femmes sont folles,
Sont bruyants dans leurs faits et vains dans leurs paroles ;
De leurs progrès sans cesse on les voit se targuer ;
Ils n'ont point de faveurs qu'ils n'aillent divulguer ;
Et leur langue indiscrète, en qui l'on se confie,
Déshonore l'autel où leur cœur sacrifie.
Mais les gens comme nous brûlent d'un feu discret,
Avec qui, pour toujours, on est sûr du secret.
Le soin que nous prenons de notre renommée
Répond de toute chose à la personne aimée ;
Et c'est en nous qu'on trouve, acceptant notre cœur,
De l'amour sans scandale, et du plaisir sans peur.

Elmire

Je vous écoute dire, et votre rhétorique
En termes assez forts à mon âme s'explique.
N'appréhendez-vous point que je ne sois d'humeur
À dire à mon mari cette galante ardeur,
Et que le prompt avis d'un amour de la sorte
Ne pût bien altérer l'amitié qu'il vous porte ?

Tartuffe

Je sais que vous avez trop de bénignité,
Et que vous ferez grâce à ma témérité ;
Que vous m'excuserez, sur l'humaine faiblesse,
Des violents transports d'un amour qui vous blesse,
Et considérerez, en regardant votre air,
Que l'on n'est pas aveugle, et qu'un homme est de chair.

Elmire

D'autres prendraient cela d'autre façon peut-être ;
Mais ma discrétion se veut faire paraître.
Je ne redirai point l'affaire à mon époux ;
Mais je veux, en revanche, une chose de vous :
C'est de presser tout franc, et sans nulle chicane,
L'union de Valère avec Mariane,
De renoncer vous-même à l'injuste pouvoir
Qui veut du bien d'un autre enrichir votre espoir ;
Et…

Scène4

Elmire, Damis, Tartuffe.

Damis, sortant du cabinet où il s'était retiré.

Non, Madame, non ; ceci doit se répandre.
J'étais en cet endroit, d'où j'ai pu tout entendre ;
Et la bonté du ciel m'y semble avoir conduit
Pour confondre l'orgueil d'un traître qui me nuit,
Pour m'ouvrir une voie à prendre la vengeance
De son hypocrisie et de son insolence,
À détromper mon père, et lui mettre en plein jour
L'âme d'un scélérat qui vous parle d'amour.

Elmire

Non, Damis, il suffit qu'il se rende plus sage,
Et tâche à mériter la grâce où je m'engage.
Puisque je l'ai promis, ne m'en dédites pas.
Ce n'est point mon humeur de faire des éclats ;
Une femme se rit de sottises pareilles,
Et jamais d'un mari n'en trouble les oreilles.

Damis

Vous avez vos raisons pour en user ainsi ;

Et pour faire autrement, j'ai les miennes aussi.
Le vouloir épargner est une raillerie ;
Et l'insolent orgueil de sa cagoterie
N'a triomphé que trop de mon juste courroux,
Et que trop excité de désordre chez nous.
Le fourbe, trop longtemps, a gouverné mon père,
Et desservi mes feux avec ceux de Valère.
Il faut que du perfide il soit désabusé ;
Et le ciel, pour cela, m'offre un moyen aisé.
De cette occasion je lui suis redevable,
Et, pour la négliger, elle est trop favorable :
Ce serait mériter qu'il me la vînt ravir,
Que de l'avoir en main et ne m'en pas servir.

Elmire

Damis…

Damis

Non, s'il vous plaît, il faut que je me croie.
Mon âme est maintenant au comble de sa joie ;
Et vos discours en vain prétendent m'obliger
À quitter le plaisir de me pouvoir venger.
Sans aller plus avant, je vais vider d'affaire ;
Et voici justement de quoi me satisfaire.

Scène5

Orgon, Elmire, Damis, Tartuffe.

Damis

Nous allons régaler, mon père, votre abord
D'un incident tout frais qui vous surprendra fort.
Vous êtes bien payé de toutes vos caresses,
Et monsieur d'un beau prix reconnaît vos tendresses.
Son grand zèle pour vous vient de se déclarer :
Il ne va pas à moins qu'à vous déshonorer ;
Et je l'ai surpris là qui faisait à madame
L'injurieux aveu d'une coupable flamme.
Elle est d'une humeur douce, et son cœur trop discret
Voulait à toute force en garder le secret ;
Mais je ne puis flatter une telle impudence,
Et crois que vous la taire est vous faire une offense.

Elmire

Oui, je tiens que jamais de tous ces vains propos
On ne doit d'un mari traverser le repos ;
Que ce n'est point de là que l'honneur peut dépendre,
Et qu'il suffit, pour nous, de savoir nous défendre.
Ce sont mes sentiments ; et vous n'auriez rien dit,
Damis, si j'avais eu sur vous quelque crédit.

Scène6

Orgon, Damis, Tartuffe.

Orgon

Ce que je viens d'entendre, ô ciel ! est-il croyable ?

Tartuffe

Oui, mon frère, je suis un méchant, un coupable,
Un malheureux pécheur, tout plein d'iniquité,
Le plus grand scélérat qui jamais ait été.
Chaque instant de ma vie est chargé de souillures ;
Elle n'est qu'un amas de crimes et d'ordures ;
Et je vois que le ciel, pour ma punition,
Me veut mortifier en cette occasion.
De quelque grand forfait qu'on me puisse reprendre,
Je n'ai garde d'avoir l'orgueil de m'en défendre.
Croyez ce qu'on vous dit, armez votre courroux,
Et comme un criminel chassez-moi de chez vous ;
Je ne saurais avoir tant de honte en partage,
Que je n'en aie encor mérité davantage.

Orgon, à son fils.

Ah ! traître, oses-tu bien par cette fausseté,
Vouloir de sa vertu ternir la pureté ?

Damis

Quoi ! la feinte douceur de cette âme hypocrite[29]
Vous fera démentir…

Orgon

Tais-toi, peste maudite.

---

[29] Var. Quoi ! la feinte douleur de cette âme hypocrite.

Tartuffe

Ah ! laissez-le parler ; vous l'accusez à tort,
Et vous ferez bien mieux de croire à son rapport.
Pourquoi, sur un tel fait, m'être si favorable ?
Savez-vous, après tout, de quoi je suis capable ?
Vous fiez-vous, mon frère, à mon extérieur ?
Et, pour tout ce qu'on voit, me croyez-vous meilleur ?
Non, non : vous vous laissez tromper à l'apparence,
Et je ne suis rien moins, hélas ! que ce qu'on pense.
Tout le monde me prend pour un homme de bien ;
Mais la vérité pure est que je ne vaux rien.

(S'adressant à Damis.)

Oui, mon cher fils, parlez ; traitez-moi de perfide,
D'infâme, de perdu, de voleur, d'homicide ;
Accablez-moi de noms encor plus détestés :
Je n'y contredis point, je les ai mérités ;
Et j'en veux à genoux souffrir l'ignominie,
Comme une honte due aux crimes de ma vie.

Orgon, à Tartuffe.

Mon frère, c'en est trop.

(À son fils.)

Ton cœur ne se rend point,
Traître !

Damis

Quoi ! ses discours vous séduiront au point…

Orgon, relevant Tartuffe.

Tais-toi, pendard. Mon frère, hé ! levez-vous, de grâce !

(À son fils)

Infâme !

Damis

Il peut…

Orgon

Tais-toi.

Damis

J'enrage. Quoi ! je passe…

Orgon

Si tu dis un seul mot, je te romprai les bras.

Tartuffe

Mon frère, au nom de Dieu, ne vous emportez pas !
J'aimerais mieux souffrir la peine la plus dure,
Qu'il eût reçu pour moi la moindre égratignure.

Orgon, à son fils.

Ingrat !

Tartuffe

Laissez-le en paix. S'il faut, à deux genoux,
Vous demander sa grâce…

Orgon, se jetant aussi à genoux, et embrassant Tartuffe.

Hélas ! vous moquez-vous ?

(À son fils.)

Coquin ! vois sa bonté !

Damis

Donc…

Orgon

Paix.

Damis

Quoi ! je…

Orgon

Paix, dis-je ;
Je sais bien quel motif à l'attaquer t'oblige.
Vous le haïssez tous, et je vois aujourd'hui
Femme, enfants et valets, déchaînés contre lui.
On met impudemment toute chose en usage
Pour ôter de chez moi ce dévot personnage :
Mais plus on fait d'effort afin de l'en bannir,
Plus j'en veux employer à l'y mieux retenir ;
Et je vais me hâter de lui donner ma fille,
Pour confondre l'orgueil de toute ma famille.

Damis

À recevoir sa main on pense l'obliger ?

Orgon

Oui, traître, et dès ce soir, pour vous faire enrager.
Ah ! je vous brave tous, et vous ferai connaître
Qu'il faut qu'on m'obéisse, et que je suis le maître.
Allons, qu'on se rétracte ; et qu'à l'instant, fripon,
On se jette à ses pieds pour demander pardon.

Damis

Qui ? moi ! de ce coquin, qui, par ses impostures…

Orgon

Ah ! tu résistes, gueux, et lui dis des injures ?

(À Tartuffe.)

Un bâton ! un bâton ! Ne me retenez pas.

(À son fils.)

Sus ; que de ma maison on sorte de ce pas,
Et que d'y revenir on n'ait jamais l'audace.

Damis

Oui, je sortirai ; mais…

Orgon

Vite, quittons la place.
Je te prive, pendard, de ma succession,
Et te donne, de plus, ma malédiction.

Scène 7

Orgon, Tartuffe.

Orgon

Offenser de la sorte une sainte personne !

Tartuffe

Ô ciel ! pardonne-lui comme je lui pardonne[30] !

---

[30] Dans toutes les éditions de Molière on lit :

Ô ciel ! pardonne-lui la douleur qu'il me donne ! Vers faible, substitué sans doute par nécessité à celui que nous plaçons aujourd'hui dans le texte, et qui est venu jusqu'à nous par tradition :

(À Orgon.)

Si vous pouviez savoir avec quel déplaisir
Je vois qu'envers mon frère on tâche à me noircir... !

Orgon

Hélas !

Tartuffe

Le seul penser de cette ingratitude
Fait souffrir à mon âme un supplice si rude...
L'horreur que j'en conçois... J'ai le cœur si serré
Que je ne puis parler, et crois que j'en mourrai.

Orgon, courant tout en larmes à la porte par où il a chassé son fils.

Coquin ! je me repens que ma main t'ait fait grâce,
Et ne t'ait pas d'abord assommé sur la place.

(À Tartuffe.)

Remettez-vous, mon frère, et ne vous fâchez pas.

Tartuffe

Rompons, rompons le cours de ces fâcheux débats.
Je regarde céans quels grands troubles j'apporte,
Et crois qu'il est besoin, mon frère, que j'en sorte.

Orgon

Comment ! vous moquez-vous ?

Tartuffe

On m'y hait, et je voi

Ô ciel ! pardonne-lui comme je lui pardonne ! C'est là le véritable vers de Molière. On aura accusé Molière d'avoir parodié *l'Oraison dominicale*, et il sera vu obligé de remplacer un vers admirable par un mauvais vers. Ce qui justifie cette conjecture, c'est que, dans sa préface, il parle des *corrections qu'il a faites, et qui n'ont de rien servi*. Plus loin, il ajoute : Il suffit, ce me semble, que j'en aie retranché les termes consacrés, *dont on aurait eu peine à entendre faire un mauvais usage*. Or, ce sont ici des termes consacrés, puisque ce sont ceux du Pater. Le changement que j'introduis dans le texte n'est donc qu'une restitution, et c'est ainsi qu'on doit imprimer ce passage à l'avenir.

(Aimé Martin.)

Qu'on cherche à vous donner des soupçons de ma foi.

Orgon

Qu'importe ! Voyez-vous que mon cœur les écoute ?

Tartuffe

On ne manquera pas de poursuivre, sans doute ;
Et ces mêmes rapports qu'ici vous rejetez,
Peut-être, une autre fois, seront-ils écoutés.

Orgon

Non, mon frère, jamais.

Tartuffe

Ah ! mon frère, une femme
Aisément d'un mari peut bien surprendre l'âme.

Orgon

Non, non.

Tartuffe

Laissez-moi vite, en m'éloignant d'ici,
Leur ôter tout sujet de m'attaquer ainsi.

Orgon

Non, vous demeurerez ; il y va de ma vie.

Tartuffe

Hé bien ! il faudra donc que je me mortifie.
Pourtant, si vous vouliez...

Orgon

Ah !

Tartuffe

Soit : n'en parlons plus.
Mais je sais comme il faut en user là-dessus.
L'honneur est délicat, et l'amitié m'engage
À prévenir les bruits et les sujets d'ombrage.
Je fuirai votre épouse et vous ne me verrez...

Orgon

Non, en dépit de tous vous la fréquenterez.
Faire enrager le monde est ma plus grande joie ;
Et je veux qu'à toute heure avec elle on vous voie.

Ce n'est pas tout encor : pour les mieux braver tous,
Je ne veux point avoir d'autre héritier que vous ;
Et je vais de ce pas, en fort bonne manière,
Vous faire de mon bien donation entière.
Un bon et franc ami, que pour gendre je prends,
M'est bien plus cher que fils, que femme et que parents.
N'accepterez-vous pas ce que je vous propose ?

Tartuffe

La volonté du ciel soit faite en toute chose !

Orgon

Le pauvre homme ! Allons vite en dresser un écrit :
Et que puisse l'envie en crever de dépit !

TARTUFFE
La volonté du Ciel soit faite en toute chose.

Fin du troisième acte.

ACTE IV

Scène 1

Cléante, Tartuffe

Cléante

 ui, tout le monde en parle, et vous m'en pouvez croire,
L'éclat que fait ce bruit n'est point à votre gloire ;
Et je vous ai trouvé, monsieur, fort à propos,
Pour vous en dire net ma pensée en deux mots.
Je n'examine point à fond ce qu'on expose ;
Je passe là-dessus, et prends au pis la chose.
Supposons que Damis n'en ait pas bien usé,
Et que ce soit à tort qu'on vous ait accusé :
N'est-il pas d'un chrétien de pardonner l'offense,
Et d'éteindre en son cœur tout désir de vengeance ?
Et devez-vous souffrir, pour votre démêlé,
Que du logis d'un père un fils soit exilé ?

Je vous le dis encore, et parle avec franchise,
Il n'est petit, ni grand, qui ne s'en scandalise ;
Et si vous m'en croyez, vous pacifierez tout,
Et ne pousserez point les affaires à bout.
Sacrifiez à Dieu toute votre colère,
Et remettez le fils en grâce avec le père.

Tartuffe

Hélas ! je le voudrais, quant à moi, de bon cœur ;
Je ne garde pour lui, monsieur, aucune aigreur ;
Je lui pardonne tout ; de rien je ne le blâme,
Et voudrais le servir du meilleur de mon âme :
Mais l'intérêt du ciel n'y saurait consentir ;
Et, s'il rentre céans, c'est à moi d'en sortir.
Après son action, qui n'eut jamais d'égale,
Le commerce entre nous porterait du scandale :
Dieu sait ce que d'abord tout le monde en croirait ;
À pure politique on me l'imputerait :
Et l'on dirait partout que, me sentant coupable,
Je feins, pour qui m'accuse, un zèle charitable ;
Que mon cœur l'appréhende, et veut le ménager
Pour le pouvoir, sous main, au silence engager.

Cléante

Vous nous payez ici d'excuses colorées ;
Et toutes vos raisons, monsieur, sont trop tirées.
Des intérêts du ciel pourquoi vous chargez-vous ?
Pour punir le coupable, a-t-il besoin de nous ?
Laissez-lui, laissez-lui le soin de ses vengeances,
Ne songez qu'au pardon qu'il prescrit des offenses,
Et ne regardez point aux jugements humains,
Quand vous suivez du ciel les ordres souverains.
Quoi ! le faible intérêt de ce qu'on pourra croire
D'une bonne action empêchera la gloire ?
Non, non ; faisons toujours ce que le ciel prescrit,
Et d'aucun autre soin ne nous brouillons l'esprit.

Tartuffe

Je vous ai déjà dit que mon cœur lui pardonne ;
Et c'est faire, monsieur, ce que le ciel ordonne :
Mais, après le scandale et l'affront d'aujourd'hui,
Le ciel n'ordonne pas que je vive avec lui.

Cléante

Et vous ordonne-t-il, monsieur, d'ouvrir l'oreille
À ce qu'un pur caprice à son père conseille ?
Et d'accepter le don qui vous est fait d'un bien
Où le droit vous oblige à ne prétendre rien ?

Tartuffe

Ceux qui me connaîtront n'auront pas la pensée
Que ce soit un effet d'une âme intéressée.
Tous les biens de ce monde ont pour moi peu d'appas,
De leur éclat trompeur je ne m'éblouis pas :
Et si je me résous à recevoir du père
Cette donation qu'il a voulu me faire,
Ce n'est, à dire vrai, que parce que je crains
Que tout ce bien ne tombe en de méchantes mains ;
Qu'il ne trouve des gens qui, l'ayant en partage,
En fassent dans le monde un criminel usage,
Et ne s'en servent pas, ainsi que j'ai dessein,
Pour la gloire du ciel et le bien du prochain.

Cléante

Hé ! monsieur, n'ayez point ces délicates craintes,
Qui d'un juste héritier peuvent causer les plaintes.
Souffrez, sans vous vouloir embarrasser de rien,
Qu'il soit, à ses périls, possesseur de son bien ;
Et songez qu'il vaut mieux encor qu'il en mésuse,
Que si de l'en frustrer il faut qu'on vous accuse.
J'admire seulement que, sans confusion,
Vous en ayez souffert la proposition.
Car enfin le vrai zèle a-t-il quelque maxime
Qui montre à dépouiller l'héritier légitime ?
Et, s'il faut que le ciel dans votre cœur ait mis
Un invincible obstacle à vivre avec Damis,
Ne vaudrait-il pas mieux qu'en personne discrète
Vous fissiez de céans une honnête retraite,
Que de souffrir ainsi, contre toute raison,
Qu'on en chasse pour vous le fils de la maison ?
Croyez-moi, c'est donner de votre prud'hommie,
Monsieur…

Tartuffe

Il est, monsieur, trois heures et demie :
Certain devoir pieux me demande là-haut,

Et vous m'excuserez de vous quitter si tôt[31].

Cléante, seul.

Ah !

Scène2

Elmire, Mariane, Cléante, Dorine.

Dorine

De grâce, avec nous employez-vous pour elle,
Monsieur : son âme souffre une douleur mortelle ;
Et l'accord que son père a conclu pour ce soir
La fait, à tous moments, entrer en désespoir.
Il va venir. Joignons nos efforts, je vous prie,
Et tâchons d'ébranler, de force ou d'industrie,
Ce malheureux dessein qui nous a tous troublés.

Scène3

Orgon, Elmire, Mariane, Cléante, Dorine.

Orgon

Ah ! je me réjouis de vous voir assemblés.

(À Mariane.)

Je porte en ce contrat de quoi vous faire rire,
Et vous savez déjà ce que cela veut dire.

Mariane, aux genoux d'Orgon.

Mon père, au nom du ciel, qui connaît ma douleur,
Et par tout ce qui peut émouvoir votre cœur,
Relâchez-vous un peu des droits de la naissance,
Et dispensez mes vœux de cette obéissance.
Ne me réduisez point, par cette dure loi,
Jusqu'à me plaindre au ciel de ce que je vous doi ;
Et cette vie, hélas ! que vous m'avez donnée,

---

[31] Euthyphron poursuivait son père devant les juges, et se vantait de faire une action agréable aux dieux ; Socrate l'ayant convaincu d'impiété, il rompit brusquement l'entretien, et se retira en disant, comme Tartuffe : « Je suis pressé, Socrate : il est temps que je te quitte. »

(Aimé Martin.)

Ne me la rendez pas, mon père, infortunée.
Si, contre un doux espoir que j'avais pu former,
Vous me défendez d'être à ce que j'ose aimer,
Au moins, par vos bontés, qu'à vos genoux j'implore,
Sauvez-moi du tourment d'être à ce que j'abhorre ;
Et ne me portez point à quelque désespoir,
En vous servant sur moi de tout votre pouvoir

Orgon, se sentant attendrir.

Allons, ferme, mon cœur ! point de faiblesse humaine !

Mariane

Vos tendresses pour lui ne me font point de peine ;
Faites-les éclater, donnez-lui votre bien,
Et, si ce n'est assez, joignez-y tout le mien ;
J'y consens de bon cœur, et je vous l'abandonne :
Mais, au moins, n'allez pas jusques à ma personne ;
Et souffrez qu'un couvent, dans les austérités,
Use les tristes jours que le ciel m'a comptés.

Orgon

Ah ! voilà justement de mes religieuses,
Lorsqu'un père combat leurs[32] flammes amoureuses !
Debout. Plus votre cœur répugne à l'accepter,
Plus ce sera pour vous matière à mériter.
Mortifiez vos sens avec ce mariage,
Et ne me rompez pas la tête davantage.

Dorine

Mais quoi !…

Orgon

Taisez-vous, vous. Parlez à votre écot[33] ;
Je vous défends, tout net, d'oser dire un seul mot.

---

[32] Var. Lorsqu'un père combat les flammes amoureuses.

[33] Parlez à votre écot, c'est-à-dire : Parlez à ceux qui sont de votre écot, de votre compagnie.

(Petitot.)

Cléante

Si par quelque conseil vous souffrez qu'on réponde...

Orgon

Mon frère, vos conseils sont les meilleurs du monde ;
Ils sont bien raisonnés, et j'en fais un grand cas :
Mais vous trouverez bon que je n'en use pas.

Elmire, à son mari.

À voir ce que je vois, je ne sais plus que dire ;
Et votre aveuglement fait que je vous admire.
C'est être bien coiffé, bien prévenu de lui,
Que de nous démentir sur le fait d'aujourd'hui !

Orgon

Je suis votre valet, et crois les apparences.
Pour mon fripon de fils je sais vos complaisances ;
Et vous avez eu peur de le désavouer
Du trait qu'à ce pauvre homme il a voulu jouer.
Vous étiez trop tranquille, enfin, pour être crue ;
Et vous auriez paru d'autre manière émue.

Elmire

Est-ce qu'au simple aveu d'un amoureux transport,
Il faut que notre honneur se gendarme si fort ?
Et ne peut-on répondre à tout ce qui le touche
Que le feu dans les yeux, et l'injure à la bouche ?
Pour moi, de tels propos je me ris simplement ;
Et l'éclat, là-dessus, ne me plaît nullement.
J'aime qu'avec douceur nous nous montrions sages ;
Et ne suis point du tout pour ces prudes sauvages
Dont l'honneur est armé de griffes et de dents,
Et veut au moindre mot dévisager les gens.
Me préserve le ciel d'une telle sagesse !
Je veux une vertu qui ne soit point diablesse,
Et crois que d'un refus la discrète froideur
N'en est pas moins puissante à rebuter un cœur.

Orgon

Enfin je sais l'affaire, et ne prends point le change.

Elmire

J'admire, encore un coup, cette faiblesse étrange :
Mais que me répondrait votre incrédulité,

Si je vous faisais voir qu'on vous dit vérité ?

Orgon

Voir ?

Elmire

Oui.

Orgon

Chansons.

Elmire

Mais quoi ! si je trouvais manière
De vous le faire voir avec pleine lumière ?...

Orgon

Contes en l'air.

Elmire

Quel homme ! Au moins, répondez-moi.
Je ne vous parle pas de nous ajouter foi ;
Mais supposons ici que, d'un lieu qu'on peut prendre,
On vous fît clairement tout voir et tout entendre :
Que diriez-vous alors de votre homme de bien ?

Orgon

En ce cas, je dirais que... Je ne dirais rien,
Car cela ne se peut.

Elmire

L'erreur trop longtemps dure,
Et c'est trop condamner ma bouche d'imposture.
Il faut que, par plaisir, et sans aller plus loin,
De tout ce qu'on vous dit je vous fasse témoin.

Orgon

Soit. Je vous prends au mot. Nous verrons votre adresse,
Et comment vous pourrez remplir cette promesse.

Elmire, à Dorine.

Faites-le-moi venir.

Dorine, à Elmire.

Son esprit est rusé,
Et peut-être à surprendre il sera malaisé.

Elmire, à Dorine.

Non ; on est aisément dupé par ce qu'on aime,
Et l'amour-propre engage à se tromper soi-même.
Faites-le-moi descendre.

(À Cléante et à Mariane.)

Et vous, retirez-vous.

Scène4

Elmire, Orgon.

Elmire

Approchons cette table, et vous mettez dessous.

Orgon

Comment !

Elmire

Vous bien cacher est un point nécessaire.

Orgon

Pourquoi sous cette table ?

Elmire

Ah ! mon Dieu ! laissez faire ;
J'ai mon dessein en tête, et vous en jugerez.
Mettez-vous là, vous dis-je ; et, quand vous y serez,
Gardez qu'on ne vous voie et qu'on ne vous entende.

Orgon

Je confesse qu'ici ma complaisance est grande :
Mais de votre entreprise il vous faut voir sortir.

Elmire

Vous n'aurez, que je crois, rien à me repartir.

(À son mari, qui est sous la table.)

Au moins, je vais toucher une étrange matière :
Ne vous scandalisez en aucune manière.
Quoi que je puisse dire, il doit m'être permis ;
Et c'est pour vous convaincre, ainsi que j'ai promis.
Je vais par des douceurs, puisque j'y suis réduite,
Faire poser le masque à cette âme hypocrite,

Flatter de son amour les désirs effrontés,
Et donner un champ libre à ses témérités.
Comme c'est pour vous seul, et pour mieux le confondre,
Que mon âme à ses vœux va feindre de répondre,
J'aurai lieu de cesser dès que vous vous rendrez,
Et les choses n'iront que jusqu'où vous voudrez.
C'est à vous d'arrêter son ardeur insensée,
Quand vous croirez l'affaire assez avant poussée ;
D'épargner votre femme, et de ne m'exposer
Qu'à ce qu'il vous faudra pour vous désabuser,
Ce sont vos intérêts, vous en serez le maître ;
Et... L'on vient. Tenez-vous, et gardez de paraître.

Scène5

Tartuffe, Elmire ; Orgon, sous la table.

Tartuffe

On m'a dit qu'en ce lieu vous me vouliez parler.

Elmire

Oui, l'on a des secrets à vous y révéler.
Mais tirez cette porte avant qu'on vous les dise ;
Et regardez partout de crainte de surprise.

(Tartuffe va fermer la porte, et revient.)

Une affaire pareille à celle de tantôt
N'est pas assurément ici ce qu'il nous faut :
Jamais il ne s'est vu de surprise de même.
Damis m'a fait pour vous une frayeur extrême ;
Et vous avez bien vu que j'ai fait mes efforts
Pour rompre son dessein et calmer ses transports.
Mon trouble, il est bien vrai, m'a si fort possédée,
Que de le démentir je n'ai point eu l'idée :
Mais par là, grâce au ciel, tout a bien mieux été,
Et les choses en sont dans plus de sûreté.
L'estime où l'on vous tient a dissipé l'orage,
Et mon mari de vous ne peut prendre d'ombrage.
Pour mieux braver l'éclat des mauvais jugements,
Il veut que nous soyons ensemble à tous moments ;
Et c'est par où je puis, sans peur d'être blâmée,
Me trouver ici seule avec vous enfermée,
Et ce qui m'autorise à vous ouvrir un cœur
Un peu trop prompt peut-être à souffrir votre ardeur.

Tartuffe

Ce langage à comprendre est assez difficile,
Madame ; et vous parliez tantôt d'un autre style.

Elmire

Ah ! si d'un tel refus vous êtes en courroux,
Que le cœur d'une femme est mal connu de vous !
Et que vous savez peu ce qu'il veut faire entendre
Lorsque si faiblement on le voit se défendre !
Toujours notre pudeur combat, dans ces moments,
Ce qu'on peut nous donner de tendres sentiments.
Quelque raison qu'on trouve à l'amour qui nous dompte,
On trouve à l'avouer toujours un peu de honte.
On s'en défend d'abord : mais de l'air qu'on s'y prend,
On fait connaître assez que notre cœur se rend ;
Qu'à nos vœux, par honneur, notre bouche s'oppose,
Et que de tels refus promettent toute chose.
C'est vous faire, sans doute, un assez libre aveu,
Et sur notre pudeur me ménager bien peu.
Mais, puisque la parole enfin en est lâchée,
À retenir Damis me serais-je attachée,
Aurais-je, je vous prie, avec tant de douceur
Écouté tout au long l'offre de votre cœur,
Aurais-je pris la chose ainsi qu'on m'a vu faire,
Si l'offre de ce cœur n'eût eu de quoi me plaire ?
Et, lorsque j'ai voulu moi-même vous forcer
À refuser l'hymen qu'on venait d'annoncer,
Qu'est-ce que cette instance a dû vous faire entendre,
Que l'intérêt qu'en vous on s'avise de prendre,
Et l'ennui qu'on aurait que ce nœud qu'on résout
Vînt partager du moins un cœur que l'on veut tout ?

Tartuffe

C'est sans doute, madame, une douceur extrême
Que d'entendre ces mots d'une bouche qu'on aime ;
Leur miel, dans tous mes sens, fait couler à longs traits
Une suavité qu'on ne goûta jamais.
Le bonheur de vous plaire est ma suprême étude,
Et mon cœur de vos vœux fait sa béatitude ;
Mais ce cœur vous demande ici la liberté
D'oser douter un peu de sa félicité.
Je puis croire ces mots un artifice honnête
Pour m'obliger à rompre un hymen qui s'apprête ;

Et, s'il faut librement m'expliquer avec vous,
Je ne me fierai point à des propos si doux,
Qu'un peu de vos faveurs, après quoi je soupire,
Ne vienne m'assurer tout ce qu'ils m'ont pu dire,
Et planter dans mon âme une constante foi
Des charmantes bontés que vous avez pour moi.
Elmire, après avoir toussé pour avertir son mari.
Quoi ! vous voulez aller avec cette vitesse,
Et d'un cœur tout d'abord épuiser la tendresse ?
On se tue à vous faire un aveu des plus doux.
Cependant ce n'est pas encore assez pour vous ;
Et l'on ne peut aller jusqu'à vous satisfaire
Qu'aux dernières faveurs on ne pousse l'affaire ?

Tartuffe

Moins on mérite un bien, moins on l'ose espérer.
Nos vœux sur des discours ont peine à s'assurer.
On soupçonne aisément un sort tout plein de gloire,
Et l'on veut en jouir avant que de le croire.
Pour moi, qui crois si peu mériter vos bontés,
Je doute du bonheur de mes témérités ;
Et je ne croirai rien, que vous n'ayez, madame,
Par des réalités su convaincre ma flamme.

Elmire

Mon Dieu ! que votre amour en vrai tyran agit !
Et qu'en un trouble étrange il me jette l'esprit !
Que sur les cœurs il prend un furieux empire !
Et qu'avec violence il veut ce qu'il désire !
Quoi ! de votre poursuite on ne peut se parer,
Et vous ne donnez pas le temps de respirer ?
Sied-il bien de tenir une rigueur si grande ?
De vouloir sans quartier les choses qu'on demande,
Et d'abuser ainsi, par vos efforts pressants[34],
Du faible que pour vous vous voyez qu'ont les gens ?

Tartuffe

Mais, si d'un œil bénin vous voyez mes hommages,
Pourquoi m'en refuser d'assurés témoignages ?

---

[34] Var. Et d'abuser ainsi par des efforts pressants.

Elmire

Mais comment consentir à ce que vous voulez,
Sans offenser le ciel, dont toujours vous parlez ?

Tartuffe

Si ce n'est que le ciel qu'à mes vœux on oppose,
Lever un tel obstacle est à moi peu de chose ;
Et cela ne doit pas retenir votre cœur.

Elmire

Mais des arrêts du ciel on nous fait tant de peur !

Tartuffe

Je puis vous dissiper ces craintes ridicules,
Madame, et je sais l'art de lever les scrupules.
Le ciel défend, de vrai, certains contentements ;
Mais on trouve avec lui des accommodements[35].
Selon divers besoins, il est une science
D'étendre les liens de notre conscience,
Et de rectifier le mal de l'action
Avec la pureté de notre intention[36].

---

[35] C'est un scélérat qui parle. (Note de Molière.) Il est probable que l'auteur avait cru cette observation nécessaire, pour prévenir les interprétations calomnieuses de ses ennemis.

[36] Dans la septième *Provinciale*, Pascal dit : « Quand nous ne pouvons pas empêcher l'action, nous purifions au moins l'intention ; et ainsi nous corrigeons le vice du moyen par la pureté de la fin. » Molière, en écrivant les vers ci-dessus s'est évidemment souvenu de Pascal. La plupart des commentateurs ont fait ce rapprochement entre les deux écrivains ; mais personne, que nous sachions, n'est remonté jusqu'à auteur qui, le premier, a attaqué la doctrine si éloquemment stigmatisée par Pascal. Cet auteur est Machiavel. Dans la *Mandragore*, le frère Timothée engage une femme mariée à prendre un amant, afin de donner un héritier à son mari, et après plusieurs arguments tirés de la situation, il ajoute : « Quand à l'acte en lui-même, c'est un conte de croire que ce soit un péché ; car c'est la volonté seule qui pêche, et non le corps ; déplaire à son mari, voilà le vrai péché : or, vous faites ce qu'il désire, il y trouve sa satisfaction, et vous n'agissez qu'à contre-cœur. Outre cela, c'est la fin qu'il faut considérer en toutes choses : celle que vous vous proposer est d'obtenir une place en paradis, et de contenter votre mari. La Bible dit que les filles de Loth se croyant restées seules au monde, eurent commerce avec leur propre père ; et comme elles avaient une bonne intention, elles ne péchèrent point. »

(*La Mandragore*, acte III, scène XI.)

De ces secrets, madame, on saura vous instruire ;
Vous n'avez seulement qu'à vous laisser conduire.
Contentez mon désir, et n'ayez point d'effroi ;
Je vous réponds de tout, et prends le mal sur moi.

(Elmire tousse plus fort.)

Vous toussez fort, madame.

Elmire

Oui, je suis au supplice.

Tartuffe

Vous plaît-il un morceau de ce jus de réglisse ?

Elmire

C'est un rhume obstiné, sans doute ; et je vois bien
Que tous les jus du monde ici ne feront rien.

Tartuffe

Cela, certe, est fâcheux.

Elmire

Oui, plus qu'on ne peut dire.

Tartuffe

Enfin votre scrupule est facile à détruire.
Vous êtes assurée ici d'un plein secret,
Et le mal n'est jamais que dans l'éclat qu'on fait.
Le scandale du monde est ce qui fait l'offense,
Et ce n'est pas pécher que pécher en silence[37].

Elmire, après avoir encore toussé et frappé sur la table.

Enfin je vois qu'il faut se résoudre à céder ;
Qu'il faut que je consente à vous tout accorder ;
Et qu'à moins de cela, je ne dois point prétendre
Qu'on puisse être content, et qu'on veuille se rendre.
Sans doute il est fâcheux d'en venir jusque-là,
Et c'est bien malgré moi que je franchis cela ;

---

[37] Regnier avait dit dans sa treizième satire : Le péché que l'on cache est demi-pardonné, La faute seulement ne gît en la défense : Le scandale, l'opprobre, est cause de l'offense.

(Petitot.)

Mais, puisque l'on s'obstine à m'y vouloir réduire,
Puisqu'on ne veut point croire à tout ce qu'on peut dire,
Et qu'on veut des témoins qui soient plus convaincants,
Il faut bien s'y résoudre, et contenter les gens.
Si ce consentement porte en soi quelque offense[38],
Tant pis pour qui me force à cette violence ;
La faute assurément n'en doit pas être à moi.

Tartuffe

Oui, madame, on s'en charge ; et la chose de soi…

Elmire

Ouvrez un peu la porte, et voyez, je vous prie,
Si mon mari n'est point dans cette galerie.

Tartuffe

Qu'est-il besoin pour lui du soin que vous prenez ?
C'est un homme, entre nous, à mener par le nez.
De tous nos entretiens il est pour faire gloire,
Et je l'ai mis au point de voir tout sans rien croire.

Elmire

Il n'importe. Sortez, je vous prie, un moment ;
Et partout là dehors voyez exactement.

Scène6

Orgon, Elmire.

Orgon, sortant de dessous la table.

Voilà, je vous l'avoue, un abominable homme !
Je n'en puis revenir, et tout ceci m'assomme.

Elmire

Quoi ! vous sortez si tôt ? Vous vous moquez des gens.
Rentrez sous le tapis, il n'est pas encor temps ;
Attendez jusqu'au bout, pour voir les choses sûres,
Et ne vous fiez point aux simples conjectures.

Orgon

Non, rien de plus méchant n'est sorti de l'enfer.

---

[38] Var. Si ce contentement porte en soi quelque offense.

Elmire

Mon Dieu ! l'on ne doit point croire trop de léger.
Laissez-vous bien convaincre avant que de vous rendre ;
Et ne vous hâtez point, de peur de vous méprendre.

(Elmire fait mettre Orgon derrière elle.)

Scène7

Tartuffe, Elmire, Orgon.

Tartuffe, sans voir Orgon.

Tout conspire, madame, à mon contentement.
J'ai visité de l'œil tout cet appartement.
Personne ne s'y trouve ; et mon âme ravie…

(Dans le temps que Tartuffe s'avance les bras ouverts
pour embrasser Elmire, elle se retire, et Tartuffe aperçoit
Orgon.)

Orgon, arrêtant Tartuffe.

Tout doux ! vous suivez trop votre amoureuse envie,
Et vous ne devez pas vous tant passionner,
Ah ! ah ! l'homme de bien, vous m'en voulez donner !
Comme aux tentations s'abandonne votre âme !
Vous épousiez ma fille, et convoitiez ma femme !
J'ai douté fort longtemps que ce fût tout de bon,
Et je croyais toujours qu'on changerait de ton ;
Mais c'est assez avant pousser le témoignage :
Je m'y tiens, et n'en veux, pour moi, pas davantage.

Elmire, à Tartuffe

C'est contre mon humeur que j'ai fait tout ceci ;
Mais on m'a mise au point de vous traiter ainsi.

Tartuffe, à Orgon.

Quoi ! vous croyez… ?

Orgon

Allons, point de bruit, je vous prie,
Dénichons de céans, et sans cérémonie.

Tartuffe

Mon dessein…[39]

Orgon

Ces discours ne sont plus de saison ;
Il faut, tout sur-le-champ, sortir de la maison.

Tartuffe

C'est à vous d'en sortir, vous qui parlez en maître.
La maison m'appartient, je le ferai connaître,
Et vous montrerai bien qu'en vain on a recours,
Pour me chercher querelle, à ces lâches détours ;
Qu'on n'est pas où l'on pense en me faisant injure ;
Que j'ai de quoi confondre et punir l'imposture,
Venger le ciel qu'on blesse, et faire repentir
Ceux qui parlent ici de me faire sortir.

Scène8

Elmire, Orgon.

Elmire

Quel est donc ce langage, et qu'est-ce qu'il veut dire ?

Orgon

Ma foi, je suis confus, et n'ai pas lieu de rire.

Elmire

Comment ?

Orgon

Je vois ma faute aux choses qu'il me dit ;
Et la donation m'embarrasse l'esprit.

Elmire

La donation…

---

[39] Dans cette scène, dit l'auteur de la Lettre sur l'Imposteur, Tartuffe démasqué appelait Orgon son frère, et entrait en matière pour se justifier : sans doute que Molière aura cru convenable de modifier ce passage.

(Petitot.)

Orgon

Oui. C'est une affaire faite
Mais j'ai quelque autre chose encor qui m'inquiète.

Elmire

Et quoi ?

Orgon

Vous saurez tout. Mais voyons au plus tôt
Si certaine cassette est encore là-haut.

Fin du quatrième acte.

ACTE V

Scène1

Orgon, Cléante.

Cléante

ù voulez-vous courir ?

Orgon

Las ! que sais-je ?

Cléante

Il me semble
Que l'on doit commencer par consulter ensemble
Les choses qu'on peut faire en cet événement.

Orgon

Cette cassette-là me trouble entièrement.
Plus que le reste encore elle me désespère.

Cléante

Cette cassette est donc un important mystère ?

Orgon

C'est un dépôt qu'Argas, cet ami que je plains,
Lui-même en grand secret m'a mis entre les mains.
Pour cela dans sa fuite il me voulut élire ;
Et ce sont des papiers, à ce qu'il m'a pu dire,
Où sa vie et ses biens se trouvent attachés[40].

Cléante

Pourquoi donc les avoir en d'autres mains lâchés ?

Orgon

Ce fut par un motif de cas de conscience.
J'allai droit à mon traître en faire confidence ;
Et son raisonnement me vint persuader
De lui donner plutôt la cassette à garder,
Afin que pour nier, en cas de quelque enquête,
J'eusse d'un faux-fuyant la faveur toute prête,
Par où ma conscience eût pleine sûreté
À faire des serments contre la vérité[41].

---

[40] Les mémoires du temps sont pleins d'aventures semblables à celle d'Orgon. Nous en rapporterons une que Voltaire a mise au théâtre. En 1661, c'est-à-dire à peu près à l'époque où Molière commençait le Tartuffe, Gourville, obligé de fuir pour ne pas être pendu en personne comme il le fut en effigie, laissa deux cassettes précieuses, l'une à Ninon, l'autre à un dévot hypocrite. À son retour, Ninon lui rendit sa cassette en fort bon état, mais il n'en fut pas de même de l'hypocrite ; celui-ci avait employé le dépôt en œuvres pies, préférant, disait-il, le salut de l'âme de Gourville à un argent qui sûrement l'aurait damné.

(Aimé Martin.)

[41] C'est ici la doctrine des restrictions mentales, que Tartuffe a enseignée à Orgon, de même qu'il a voulu enseigner à Elmire celle de la direction d'intention. Voir sur les restrictions mentales la neuvième Provinciale.

Cléante

Vous voilà mal, au moins, si j'en crois l'apparence :
Et la donation et cette confidence,
Sont, à vous en parler selon mon sentiment,
Des démarches par vous faites légèrement.
On peut vous mener loin avec de pareils gages ;
Et cet homme sur vous ayant ces avantages,
Le pousser est encor grande imprudence à vous ;
Et vous deviez chercher quelque biais plus doux.

Orgon

Quoi ! sous un beau semblant de ferveur si touchante
Cacher un cœur si double, une âme si méchante !
Et moi qui l'ai reçu gueusant et n'ayant rien…
C'en est fait, je renonce à tous les gens de bien ;
J'en aurai désormais une horreur effroyable
Et m'en vais devenir, pour eux, pire qu'un diable.

Cléante

Hé bien ! ne voilà pas de vos emportements !
Vous ne gardez en rien les doux tempéraments.
Dans la droite raison jamais n'entre la vôtre ;
Et toujours d'un excès vous vous jetez dans l'autre.
Vous voyez votre erreur, et vous avez connu
Que par un zèle feint vous étiez prévenu ;
Mais pour vous corriger quelle raison demande
Que vous alliez passer dans une erreur plus grande,
Et qu'avec le cœur d'un perfide vaurien
Vous confondiez les cœurs de tous les gens de bien ?
Quoi ! parce qu'un fripon vous dupe avec audace,
Sous le pompeux éclat d'une austère grimace,
Vous voulez que partout on soit fait comme lui,
Et qu'aucun vrai dévot ne se trouve aujourd'hui ?
Laissez aux libertins ces sottes conséquences :
Démêlez la vertu d'avec ses apparences,
Ne hasardez jamais votre estime trop tôt,
Et soyez pour cela dans le milieu qu'il faut.
Gardez-vous, s'il se peut, d'honorer l'imposture ;
Mais au vrai zèle aussi n'allez pas faire injure,
Et s'il vous faut tomber dans une extrémité,
Péchez plutôt encor de cet autre côté.

Scène2

Orgon, Cléante, Damis.

Damis

Quoi ! mon père, est-il vrai qu'un coquin vous menace ?
Qu'il n'est point de bienfait qu'en son âme il n'efface,
Et que son lâche orgueil, trop digne de courroux,
Se fait de vos bontés des armes contre vous ?

Orgon

Oui, mon fils ; et j'en sens des douleurs nonpareilles.

Damis

Laissez-moi, je lui veux couper les deux oreilles.
Contre son insolence on ne doit point gauchir :
C'est à moi tout d'un coup de vous en affranchir ;
Et, pour sortir d'affaire, il faut que je l'assomme.

Cléante

Voilà tout justement parler en vrai jeune homme.
Modérez, s'il vous plaît, ces transports éclatants.
Nous vivons sous un règne et sommes dans un temps
Où par la violence on fait mal ses affaires.

Scène3

Madame Pernelle, Orgon, Elmire, Cléante, Mariane, Damis, Dorine.

Madame Pernelle

Qu'est-ce ? J'apprends ici de terribles mystères !

Orgon

Ce sont des nouveautés dont mes yeux sont témoins,
Et vous voyez le prix dont sont payés mes soins.
Je recueille avec zèle un homme en sa misère,
Je le loge, et le tiens comme mon propre frère ;
De bienfaits chaque jour il est par moi chargé ;
Je lui donne ma fille et tout le bien que j'ai :
Et, dans le même temps, le perfide, l'infâme,
Tente le noir dessein de suborner ma femme ;
Et, non content encor de ces lâches essais,
Il m'ose menacer de mes propres bienfaits,

Et veut, à ma ruine, user des avantages
Dont le viennent d'armer mes bontés trop peu sages,
Me chasser de mes biens où je l'ai transféré,
Et me réduire au point d'où je l'ai retiré.

Dorine

Le pauvre homme !

Madame Pernelle

Mon fils, je ne puis du tout croire
Qu'il ait voulu commettre une action si noire.

Orgon

Comment ?

Madame Pernelle

Les gens de bien sont enviés toujours.

Orgon

Que voulez-vous donc dire avec votre discours,
Ma mère ?

Madame Pernelle

Que chez vous on vit d'étrange sorte,
Et qu'on ne sait que trop la haine qu'on lui porte.

Orgon

Qu'a cette haine à faire avec ce qu'on vous dit ?

Madame Pernelle

Je vous l'ai dit cent fois quand vous étiez petit :
La vertu dans le monde est toujours poursuivie ;
Les envieux mourront, mais non jamais l'envie[42].

Orgon

Mais que fait ce discours aux choses d'aujourd'hui ?

Madame Pernelle

On vous aura forgé cent sots contes de lui.

---

[42] Vers emprunté à un proverbe : *L'envie ne mourra jamais, mais les envieux mourront* ; cette phrase se trouve dans la comédie des *Proverbes* d'Adrien de Montluc, imprimée en 1616.

Orgon

Je vous ai dit déjà que j'ai vu tout moi-même.

Madame Pernelle

Des esprits médisants la malice est extrême.

Orgon

Vous me feriez damner, ma mère ! Je vous di
Que j'ai vu de mes yeux un crime si hardi.

Madame Pernelle

Les langues ont toujours du venin à répandre,
Et rien n'est ici-bas qui s'en puisse défendre.

Orgon

C'est tenir un propos de sens bien dépourvu.
Je l'ai vu, dis-je, vu, de mes propres yeux vu,
Ce qu'on appelle vu. Faut-il vous le rebattre
Aux oreilles cent fois, et crier comme quatre ?

Madame Pernelle

Mon Dieu ! le plus souvent l'apparence déçoit :
Il ne faut pas toujours juger sur ce qu'on voit.

Orgon

J'enrage !

Madame Pernelle

Aux faux soupçons la nature est sujette,
Et c'est souvent à mal que le bien s'interprète.

Orgon

Je dois interpréter à charitable soin
Le désir d'embrasser ma femme !

Madame Pernelle

Il est besoin,
Pour accuser les gens, d'avoir de justes causes ;
Et vous deviez attendre à vous voir sûr des choses.

Orgon

Hé ! diantre ! le moyen de m'en assurer mieux ?
Je devais donc, ma mère, attendre qu'à mes yeux
Il eût… Vous me feriez dire quelque sottise.

Madame Pernelle

Enfin d'un trop pur zèle on voit son âme éprise,
Et je ne puis du tout me mettre dans l'esprit
Qu'il ait voulu tenter les choses que l'on dit.

Orgon

Allez, je ne sais pas, si vous n'étiez ma mère,
Ce que je vous dirais, tant je suis en colère.

Dorine, à Orgon.

Juste retour, monsieur, des choses d'ici-bas ;
Vous ne vouliez point croire, et l'on ne vous croit pas.

Cléante

Nous perdons des moments en bagatelles pures,
Qu'il faudrait employer à prendre des mesures.
Aux menaces du fourbe on doit ne dormir point.

Damis

Quoi ! son effronterie irait jusqu'à ce point ?

Elmire

Pour moi, je ne crois pas cette instance possible,
Et son ingratitude est ici trop visible.

Cléante, à Orgon.

Ne vous y fiez pas ; il aura des ressorts
Pour donner contre vous raison à ses efforts,
Et sur moins que cela le poids d'une cabale
Embarrasse les gens dans un fâcheux dédale.
Je vous le dis encore : armé de ce qu'il a,
Vous ne deviez jamais le pousser jusque-là.

Orgon

Il est vrai ; mais qu'y faire ? À l'orgueil de ce traître,
De mes ressentiments je n'ai pas été maître.

Cléante

Je voudrais de bon cœur qu'on pût entre vous deux
De quelque ombre de paix raccommoder les nœuds.

Elmire

Si j'avais su qu'en main il a de telles armes,
Je n'aurais pas donné matière à tant d'alarmes,

Et mes…

Orgon, à Dorine, voyant entrer monsieur Loyal.

Que veut cet homme ? Allez tôt le savoir,
Je suis bien en état que l'on me vienne voir !

Scène4

Orgon, Madame Pernelle, Elmire, Mariane, Cléante, Damis,
Dorine, Monsieur Loyal.

Monsieur Loyal, à Dorine, dans le fond du théâtre.

Bonjour, ma chère sœur ; faites, je vous supplie,
Que je parle à monsieur.

Dorine

Il est en compagnie ;
Et je doute qu'il puisse à présent voir quelqu'un.

Monsieur Loyal

Je ne suis pas pour être en ces lieux importun.
Mon abord n'aura rien, je crois, qui lui déplaise ;
Et je viens pour un fait dont il sera bien aise.

Dorine

Votre nom ?

Monsieur Loyal

Dites-lui seulement que je viens
De la part de monsieur Tartuffe, pour son bien.

Dorine, à Orgon.

C'est un homme qui vient, avec douce manière,
De la part de monsieur Tartuffe, pour affaire
Dont vous serez, dit-il, bien aise.

Cléante, à Orgon.

Il vous faut voir
Ce que c'est que cet homme et ce qu'il peut vouloir.

Orgon, à Cléante.

Pour nous raccommoder il vient ici peut-être :
Quels sentiments aurai-je à lui faire paraître[43] ?

---

[43] Dans l'édition de 1682, ce verbe est écrit, tantôt par un o, tantôt par un a, tantôt

Cléante

Votre ressentiment ne doit point éclater ;
Et s'il parle d'accord, il le faut écouter.

Monsieur Loyal, à Orgon.

Salut, monsieur. Le ciel perde qui vous veut nuire,
Et vous soit favorable autant que je désire[44] !

Orgon, bas, à Cléante.

Ce doux début s'accorde avec mon jugement
Et présage déjà quelque accommodement.

Monsieur Loyal

Toute votre maison m'a toujours été chère,
Et j'étais serviteur de monsieur votre père.

Orgon

Monsieur, j'ai grande honte et demande pardon
D'être sans vous connaître ou savoir votre nom.

Monsieur Loyal

Je m'appelle Loyal, natif de Normandie,
Et suis huissier à verge, en dépit de l'envie.
J'ai, depuis quarante ans, grâce au ciel, le bonheur
D'en exercer la charge avec beaucoup d'honneur,
Et je vous viens, monsieur, avec votre licence,
Signifier l'exploit de certaine ordonnance…

Orgon

Quoi ! vous êtes ici…

---

par un e, suivant les besoins de la rime.

[44] C'est faute d'avoir pénétré les intentions du poète que les commentateurs ont blâmé ce rôle. « M. Loyal, est-il dit dans la Lettre sur l'Imposteur, fait voir qu'il y a des faux dévots dans toutes les professions, et qu'ils sont tous liés ensemble, ce qui est le caractère de la cabale. » C'est donc pour montrer l'union des faux dévots de toutes les classes que Molière a fait de M. Loyal un saint de la même étoffe que Tartuffe.

(Aimé Martin.)

Monsieur Loyal

Monsieur, sans passion.
Ce n'est rien seulement qu'une sommation,
Un ordre de vider d'ici, vous et les vôtres,
Mettre vos meubles hors, et faire place à d'autres,
Sans délai ni remise, ainsi que besoin est.

Orgon

Moi ! sortir de céans ?

Monsieur Loyal

Oui, monsieur, s'il vous plaît.
La maison à présent, comme savez de reste,
Au bon monsieur Tartuffe appartient sans conteste.
De vos biens désormais il est maître et seigneur,
En vertu d'un contrat duquel je suis porteur.
Il est en bonne forme, et l'on n'y peut rien dire.

Damis, à M. Loyal.

Certes cette impudence est grande, et je l'admire !

Monsieur Loyal, à Damis.

Monsieur, je ne dois point avoir affaire à vous ;

(Montrant Orgon.)

C'est à monsieur : il est et raisonnable et doux,
Et d'un homme de bien il sait trop bien l'office,
Pour se vouloir du tout opposer à justice.

Orgon

Mais...

Monsieur Loyal

Oui, monsieur, je sais que pour un million
Vous ne voudriez pas faire rébellion,
Et que vous souffrirez en honnête personne
Que j'exécute ici les ordres qu'on me donne.

Damis

Vous pourriez bien ici sur votre noir jupon,
Monsieur l'huissier à verge, attirer le bâton.

Monsieur Loyal, à Orgon.

Faites que votre fils se taise ou se retire,

Monsieur. J'aurais regret d'être obligé d'écrire,
Et de vous voir couché dans mon procès-verbal.

Dorine, à part.

Ce Monsieur Loyal porte un air bien déloyal.

Monsieur Loyal

Pour tous les gens de bien j'ai de grandes tendresses,
Et ne me suis voulu, monsieur, charger des pièces
Que pour vous obliger et vous faire plaisir ;
Que pour ôter par là le moyen d'en choisir
Qui, n'ayant pas pour vous le zèle qui me pousse,
Auraient pu procéder d'une façon moins douce.

Orgon

Et que peut-on de pis que d'ordonner aux gens
De sortir de chez eux ?

Monsieur Loyal

On vous donne du temps ;
Et jusques à demain je ferai surséance
À l'exécution, monsieur, de l'ordonnance.
Je viendrai seulement passer ici la nuit
Avec dix de mes gens, sans scandale et sans bruit.
Pour la forme, il faudra, s'il vous plaît, qu'on m'apporte,
Avant que se coucher, les clefs de votre porte.
J'aurai soin de ne pas troubler votre repos,
Et de ne rien souffrir qui ne soit à propos.
Mais demain, du matin, il vous faut être habile
À vider de céans jusqu'au moindre ustensile ;
Mes gens vous aideront, et je les ai pris forts
Pour vous faire service à tout mettre dehors.
On n'en peut pas user mieux que je fais, je pense ;
Et comme je vous traite avec grande indulgence,
Je vous conjure aussi, monsieur, d'en user bien,
Et qu'au dû de ma charge on ne me trouble en rien.

Orgon, à part.

Du meilleur de mon cœur je donnerais, sur l'heure
Les cent plus beaux louis de ce qui me demeure,
Et pouvoir, à plaisir, sur ce mufle assener
Le plus grand coup de poing qui se puisse donner.

Cléante, bas, à Orgon.

Laissez, ne gâtons rien.

Damis

À cette audace étrange
J'ai peine à me tenir, et la main me démange.

Dorine

Avec un si bon dos, ma foi, monsieur Loyal,
Quelques coups de bâton ne vous siéraient pas mal.

Monsieur Loyal

On pourrait bien punir ces paroles infâmes,
Mamie ; et l'on décrète aussi contre les femmes.

Cléante, à monsieur Loyal.

Finissons tout cela, monsieur ; c'en est assez.
Donnez tôt ce papier, de grâce, et nous laissez.

Monsieur Loyal

Jusqu'au revoir. Le ciel vous tienne tous en joie !

Orgon

Puisse-t-il te confondre, et celui qui t'envoie !

Scène5

Orgon, Madame Pernelle, Elmire, Cléante, Mariane, Damis, Dorine.

Orgon

Hé bien ! vous le voyez, ma mère, si j'ai droit ;
Et vous pouvez juger du reste par l'exploit.
Ses trahisons enfin vous sont-elles connues ?

Madame Pernelle

Je suis toute ébaubie, et je tombe des nues !

Dorine, à Orgon.

Vous vous plaignez à tort, à tort vous le blâmez,
Et ses pieux desseins par là sont confirmés.
Dans l'amour du prochain sa vertu se consomme :
Il sait que très souvent les biens corrompent l'homme,
Et, par charité pure, il veut vous enlever

Tout ce qui vous peut faire obstacle à vous sauver[45].

Orgon

Taisez-vous. C'est le mot qu'il vous faut toujours dire.

Cléante, à Orgon.

Allons voir quel conseil on doit vous faire élire.

Elmire

Allez faire éclater l'audace de l'ingrat.
Ce procédé détruit la vertu du contrat ;
Et sa déloyauté va paraître trop noire,
Pour souffrir qu'il en ait le succès qu'on veut croire.

Scène6

Valère, Orgon, Madame Pernelle, Elmire, Cléante, Mariane, Damis, Dorine.

Valère

Avec regret, monsieur, je viens vous affliger ;
Mais je m'y vois contraint par le pressant danger.
Un ami, qui m'est joint d'une amitié fort tendre,
Et qui sait l'intérêt qu'en vous j'ai lieu de prendre,
A violé pour moi, par un pas délicat,
Le secret que l'on doit aux affaires d'État,
Et me vient d'envoyer un avis dont la suite
Vous réduit au parti d'une soudaine fuite.
Le fourbe qui longtemps a pu vous imposer
Depuis une heure au prince a su vous accuser,
Et remettre en ses mains, dans les traits qu'il vous jette,

---

[45] Cette Dorine, qui fait un rôle si animé, si essentiel dans le *Tartuffe*, et qui en est le boute-en-train, me personnifie à merveille la verve même du poète, ce qu'on oserait appeler le gros de sa muse, un peu comme chez Rubens ces Sirènes poissonneuses et charnues, les favorites du peintre. Ainsi cette Dorine, si provocante, si drue, servirait très-bien à figurer la muse comique de Molière en ce qu'elle a de tout à fait à part et d'invincible, et de détaché d'une observation plus réfléchie, — l'humeur comique dans sa pure veine courante, qui l'assaillait, qui le distrayait, comme la servante du logis, même en ses plus sombres heures, et faisait remue-ménage à travers sa mélancolie habituelle, dans la profondeur ne s'en ébranlait pas.

(Sainte-Beuve.)

D'un criminel d'État l'importante cassette,
Dont, au mépris, dit-il, du devoir d'un sujet,
Vous avez conservé le coupable secret.
J'ignore le détail du crime qu'on vous donne[46] ;
Mais un ordre est donné contre votre personne ;
Et lui-même est chargé, pour mieux l'exécuter,
D'accompagner celui qui vous doit arrêter.

Cléante

Voilà ses droits armés ; et c'est par où le traître
De vos biens qu'il prétend cherche à se rendre maître.

Orgon

L'homme est, je vous l'avoue, un méchant animal !

Valère

Le moindre amusement vous peut être fatal.
J'ai, pour vous emmener, mon carrosse à la porte,
Avec mille louis qu'ici je vous apporte.
Ne perdons point de temps : le trait est foudroyant ;
Et ce sont de ces coups que l'on pare en fuyant.
À vous mettre en lieu sûr je m'offre pour conduite,
Et veux accompagner, jusqu'au bout, votre fuite.

Orgon

Las ! que ne dois-je point à vos soins obligeants !
Pour vous en rendre grâce, il faut un autre temps ;
Et je demande au ciel de m'être assez propice
Pour reconnaître un jour ce généreux service.
Adieu : prenez le soin, vous autres.

Cléante

Allez tôt.
Nous songerons, mon frère, à faire ce qu'il faut.

Scène7

Tartuffe, un Exempt, Madame Pernelle, Orgon, Elmire, Cléante, Mariane, Valère, Damis, Dorine.

---

[46] Qu'on vous attribue. C'est un latinisme, *dare crimen alicui*.

Tartuffe, arrêtant Orgon.

Tout beau, monsieur, tout beau, ne courez point si vite :
Vous n'irez pas fort loin pour trouver votre gîte ;
Et de la part du prince on vous fait prisonnier.

Orgon

Traître ! tu me gardais ce trait pour le dernier :
C'est le coup, scélérat, par où tu m'expédies ;
Et voilà couronner toutes tes perfidies.

Tartuffe

Vos injures n'ont rien à me pouvoir aigrir ;
Et je suis, pour le ciel, appris à tout souffrir.

Cléante

La modération est grande, je l'avoue.

Damis

Comme du ciel l'infâme impudemment se joue !

Tartuffe

Tous vos emportements ne sauraient m'émouvoir ;
Et je ne songe à rien qu'à faire mon devoir.

Mariane

Vous avez de ceci grande gloire à prétendre ;
Et cet emploi pour vous est fort honnête à prendre.

Tartuffe

Un emploi ne saurait être que glorieux
Quand il part du pouvoir qui m'envoie en ces lieux.

Orgon

Mais t'es-tu souvenu que ma main charitable,
Ingrat, t'a retiré d'un état misérable ?

Tartuffe

Oui, je sais quels secours j'en ai pu recevoir ;
Mais l'intérêt du prince est mon premier devoir.
De ce devoir sacré la juste violence
Étouffe dans mon cœur toute reconnaissance :
Et je sacrifierais à de si puissants nœuds
Ami, femme, parents, et moi-même avec eux.

Elmire

L'imposteur !

Dorine

Comme il sait, de traîtresse manière,
Se faire un beau manteau de tout ce qu'on révère !

Cléante

Mais, s'il est si parfait que vous le déclarez,
Ce zèle qui vous pousse et dont vous vous parez,
D'où vient que pour paraître il s'avise d'attendre
Qu'à poursuivre sa femme il ait su vous surprendre
Et que vous ne songez à l'aller dénoncer
Que lorsque son honneur l'oblige à vous chasser ?
Je ne vous parle point, pour devoir en distraire[47],
Du don de tout son bien qu'il venait de vous faire ;
Mais, le voulant traiter en coupable aujourd'hui,
Pourquoi consentiez-vous à rien prendre de lui ?

Tartuffe, à l'Exempt

Délivrez-moi, monsieur, de la criaillerie ;
Et daignez accomplir votre ordre, je vous prie.

L'Exempt

Oui, c'est trop demeurer, sans doute, à l'accomplir ;
Votre bouche à propos m'invite à le remplir :
Et, pour l'exécuter, suivez-moi tout à l'heure
Dans la prison qu'on doit vous donner pour demeure.

Tartuffe

Qui ? moi, monsieur ?

---

[47] *Pour devoir en distraire,* signifie probablement pour avoir dû vous détourner d'une telle action. Il serait difficile d'être plus obscur. Ce passage, et bien d'autres, font voir que Molière suivait en versifiant la méthode de Boileau, de commencer par le second vers, et d'y renfermer toute l'énergie de la pensée dans les termes les plus propres. Le premier se faisant ensuite du mieux qu'on pouvait, ajusté sur le second. Molière a dû, comme Virgile, laisser souvent des hémistiches vides, qu'il remplissait à la hâte au dernier moment.

(F. Génin.)

L'Exempt

Oui, vous.

Tartuffe

Pourquoi donc la prison ?

L'Exempt

Ce n'est pas vous à qui j'en veux rendre raison.

(À Orgon.)

Remettez-vous, monsieur, d'une alarme si chaude.
Nous vivons sous un prince ennemi de la fraude,
Un prince dont les yeux se font jour dans les cœurs,
Et que ne peut tromper tout l'art des imposteurs.
D'un fin discernement sa grande âme pourvue
Sur les choses toujours jette une droite vue ;
Chez elle jamais rien ne surprend trop d'accès,
Et sa ferme raison ne tombe en nul excès.
Il donne aux gens de bien une gloire immortelle :
Mais sans aveuglement il fait briller ce zèle,
Et l'amour pour les vrais ne ferme point son cœur
À tout ce que les faux doivent donner d'horreur.
Celui-ci n'était pas pour le pouvoir surprendre,
Et de pièges plus fins on le voit se défendre.
D'abord il a percé, par ses vives clartés
Des replis de son cœur toutes les lâchetés.
Venant vous accuser, il s'est trahi lui-même,
Et, par un juste trait de l'équité suprême,
S'est découvert au prince un fourbe renommé,
Dont sous un autre nom il était informé ;
Et c'est un long détail d'actions toutes noires
Dont on pourrait former des volumes d'histoires.
Ce monarque, en un mot, a vers vous détesté
Sa lâche ingratitude et sa déloyauté ;
À ses autres horreurs il a joint cette suite,
Et ne m'a jusqu'ici soumis à sa conduite
Que pour voir l'impudence aller jusques au bout,
Et vous faire, par lui, faire raison de tout.
Oui, de tous vos papiers, dont il se dit le maître,
Il veut qu'entre vos mains je dépouille le traître.
D'un souverain pouvoir, il brise les liens
Du contrat qui lui fait un don tous vos biens,
Et vous pardonne enfin cette offense secrète

Où vous a d'un ami fait tomber la retraite ;
Et c'est le prix qu'il donne au zèle qu'autrefois
On vous vit témoigner en appuyant ses droits,
Pour montrer que son cœur sait, quand moins on y pense,
D'une bonne action verser la récompense ;
Que jamais le mérite avec lui ne perd rien ;
Et que mieux que du mal, il se souvient du bien.

Dorine

Que le ciel soit loué !

Madame Pernelle

Maintenant je respire.

Elmire

Favorable succès !

Mariane

Qui l'aurait osé dire ?

Orgon, à Tartuffe, que l'exempt emmène.

Hé bien ! te voilà, traître !...

Scène8

Madame Pernelle, Orgon, Elmire, Mariane, Cléante, Valère,
Damis, Dorine.

Cléante

Ah ! mon frère, arrêtez,
Et ne descendez point à des indignités.
À son mauvais destin laissez un misérable,
Et ne vous joignez point au remords qui l'accable.
Souhaitez bien plutôt que son cœur, en ce jour,
Au sein de la vertu fasse un heureux retour ;
Qu'il corrige sa vie en détestant son vice,
Et puisse du grand prince adoucir la justice ;
Tandis qu'à sa bonté vous irez, à genoux,
Rendre ce que demande un traitement si doux.

Orgon

Oui, c'est bien dit. Allons à ses pieds avec joie
Nous louer des bontés que son cœur nous déploie :
Puis, acquittés un peu de ce premier devoir,
Aux justes soins d'un autre il nous faudra pourvoir,

Et par un doux hymen couronner en Valère
La flamme d'un amant généreux et sincère.

Fin du Tartuffe

Made in the USA
Monee, IL
23 July 2022